Gesund-
brunnen
Schönhauser
Parkstr.
Reinicken-dorfer Str.
Urnen-
friedhof
Wiesenstr.
Humbo
Wedding
Kirchhof
Dorotheen-
stadt II
Friedhof d.
St.-Hedwig-Gem.
Fennstr.
Sellerstr.
Chausseestr.
Scharnhorststr.
Heidestr.
Invaliden-
Friedhof
Nordbahnhof
Invalidenstr.
Friedhof d.
Sophienkirch-
gem.
Arkonapl.
Kastanienallee
Schönhauser Allee
Jüdischer
Friedhof
Volkspark am
Weinberg
Teuto-
burger Pl.
Zillepark
Torstr.
Rosenthaler Str.
Rosa-Luxemburg-Str.
Mollstr.
Prenzlauer Allee
Otto-Braun-Str.
LehrterBhf.
Universitäts-
klinikum
Invalidenstr.
Friedrichstr.
Oranien-
burger Str.
Oranien-
burger
Str.
Hackescher
Markt
Monbijou-
park
Moltkestr.
Friedrichstr.
A. d. Spandauer Str.
Karl-Liebknecht-Str.
Alexander-
platz
Alexanderstr.
Lust-
garten
Nikolai-
viertel
Grunerstr.
Mühlendamm
Dorotheen- str.
Unter den
Linden
Unter den Linden
Bebel-
platz
Pariser
Platz
Behrenstr.
Straße des 17. Juni
Stralauer Str.
Jannowitz
brücke
Französische Str.
Wilhelmstr.
Entlastungsstr.
Hausvogtei-
platz
Gertraudenstr.
Märk. Ufer
Leipziger Str.
Leipziger Str.
Potsdamer
Platz
Kochstr.
Oranienstr.
Waldeck-
park
Heinrich - Heine - Str.
Reichspietschufer
Schöneberger Ufer
Potsdamer Str.
Anhalter
Bhf.
Stresemannstr.
Wilhelmstr.
Lindenstr.
Jüdisches
Museum
Oranien-
platz
Oranienstr.
Prinzenstr.
Wassertor-
platz
Gitschiner Str.
Sommerbad
Kreuzberg
Böckler-
park
Baerwalderstr.
Kottbuser Str.
Blücherstr.
Bethlehems-
kirchhof
Goebenstr.
Yorckstr.
Großgörschenstr.
Yorckstr.
Möckernstr.
Yorckstr.
Mehringdamm
Mehringdamm
Urbanstr.
Gneisenaustr.
Körtestr.
Süd-
stern
Hasenheide
Kreuzbergstr.
Viktoria-
park
Katzbachstr.
Kirchhof
Luisenstädt.-
gem.
Volkspark
Rixdorfer Höhe
Hasenheide
1
2
3
4
5
6
7
8
9
10
11
12
13
14
16

# Spurensuche Berlin

## Ein archäologischer Stadtführer

Jörg Haspel
Wilfried Menghin
Herausgeber

Uwe Michas
Autor

L&H Verlag

## DANKE



Der Verlag hat die Anzeigen für die Deutsche Stiftung Denkmalschutz, das Landesdenkmalamt Berlin und das Museumsjournal/MD Berlin kostenlos geschaltet.

# SO NUTZEN SIE DIESES BUCH

- Jeder archäologische Denkmalort, der ausführlich beschrieben ist, hat eine Kennziffer. Diese finden Sie auch auf den vorderen und hinteren Umschlagseiten wieder.

- Die Karten in den vorderen und hinteren Umschlagseiten dienen nur der groben Orientierung. Bitte nutzen Sie Ihren detaillierten Stadtplan. Diesen können Sie sich auch über www.bvg.de ausdrucken.

- Das Buch ist nach archäologischen Fundstellen in Städte, Flüsse, Dörfer gegliedert. Ein Verzeichnis der Orte finden sie in der jeweiligen Kapitelübersicht.

- Zur Erleichterung der Anfahrt dienen die Orientierungskarten und die zu Beginn jeder Fundortbeschreibung aufgeführten U-/S-/Tram- und Bus-Verbindungen. Bitte beachten Sie, dass sich diese Verbindungen teilweise – auch durch Straßenbauarbeiten bedingt – ändern können.

- Aktuelle Verkehrsdaten erfahren Sie hier:

**BVG**

www.bvg.de (mit detailliertem Stadtplan)
Fon 030/19 44 9
Fax 030/25 64 92 56
E-Mail info@bvg.de
Aktuelle Streckeninfo Fon 030/25 62 25 62

**S-Bahn**

www.s-bahn-berlin.de
Fon 030/29 74 33 33

# INHALT

audio
in mehr als
15 Sprachen
video
Vertonung
tonwelt
im museum
Audioguides

# Staatliche Museen zu Berlin

Museum für Vor- und Frühgeschichte, Ägyptisches Museum und Papyrussammlung, Sammlung Berggruen - Picasso und seine Zeit, Gemäldegalerie, Kupferstichkabinett - Sammlung der Zeichnungen und Druckgraphik, Kunstgewerbemuseum, Kunstbibliothek, Hamburger Bahnhof - Museum für Gegenwart Berlin, Neue Nationalgalerie, Alte Nationalgalerie, Münzkabinett, Friedrichswerdersche Kirche, Skulpturensammlung und Museum für Byzantinische Kunst,  Antikensammlung, Vorderasiatisches Museum, Museum für Islamische Kunst, Ethnologisches Museum, Museum für Indische Kunst, Museum für Ostasiatische Kunst, Museum Europäischer Kulturen, Gipsformerei

Mit der **3-Tage-Karte SchauLust Museum Berlin** können Sie für € 10,-  / ermäßigt € 5,- an drei aufeinander folgenden Öffnungstagen über 50 Berliner Museen und Sammlungen besuchen, darunter die weltberühmten Häuser der Staatlichen Museen zu Berlin mit Pergamonmuseum, Ägyptischem Museum, Gemäldegalerie und anderen. Weiter die Museen der Stiftung Stadtmuseum Berlin, Deutsches Technikmuseum, Jüdisches Museum, Brücke-Museum und viele andere mehr.

**"SchauLust Museen Berlin"-Tickets sind erhältlich an allen Kassen der Museen sowie in den Info-Zentren der Berlin Tourismus Marketing GmbH im Europa-Center, Brandenburger Tor und Fernsehturm am Alexanderplatz.**

S M
B Staatliche Museen zu Berlin
Besucher-Dienste

# GROSSSTADTARCHÄOLOGIE IN BERLIN – EIN BESONDERER REIZ

## VORWORT

# GROSSSTADTARCHÄOLOGIE IN BERLIN – EIN BESONDERER REIZ

## VORWORT

Vor- und Frühgeschichte findet meist in den Museen statt. Ob in einem großen Landesmuseum oder einem Heimatmuseum, Fachwissenschaftler oder Heimatpfleger – Archäologen, Historiker, Museologen und Pädagogen – versuchen, dem interessierten Publikum die frühe Geschichte ihres Landes oder ihrer Stadt zu vermitteln. Dies ist nicht einfach, denn die in Vitrinen präsentierten Schauobjekte stammen meist aus längst vergangenen, in der Regel schriftlosen Zeiten. Aus ihrem ursprünglichen Zusammenhang gerissen, müssen sie mit vielen Worten erläutert und in einen historischen Zusammenhang gestellt werden.

Was in die Museen gelangt, sind in der Regel Funde aus archäologischen Ausgrabungen, die aufgrund ihrer Konsistenz die jahrhunderte- und oft jahrtausende lange Lagerung im Boden überstanden haben: Knochen, Bein, Keramik, Glas, Bronze, Eisen und – ziemlich selten – Edelmetalle.

Die Anlässe für archäologische Ausgrabungen sind unterschiedlich. Meist aber finden sie im Vorfeld von Baumaßnahmen statt. Ihr Sinn liegt in der Erhaltung des kulturellen Erbes, welches im Boden wie in einem unterirdischen Archiv konserviert ist. Allerdings bedeutet Ausgraben fast immer die Zerstörung des Bodendenkmals. Was bleibt, ist die Dokumentation der Befunde und die Bergung der Funde. Die Konservierung der Denkmale - gesicherte Spuren der Geschichte - am originalen Platz ist nur in seltenen Fällen möglich.

Es bedarf einiger Fantasie, Vor- und Frühgeschichte am authentischen Ort nachzuvollziehen. Auch mittelalterliche Bodenzeugnisse sind in einer dynamisch gewachsenen Metropole leicht zu übersehen. Wo einst eine bronzezeitliche Siedlung lag, verläuft heute eine Straße oder steht ein Gebäudekomplex.

Wo einmal eisenzeitliche Urnengräber geborgen wurden, deutet nach der Bebauung nichts mehr auf die archäologisch bedeutsame Fundstelle hin. Und das Terrain ist so verändert, dass selbst der kundigste Kenner urgeschichtlichen Siedelwesens kaum in der Lage ist, den Platz wieder zu lokalisieren. Und dennoch, mit Hilfe der Fundstellenerfassung ist es möglich, die ur- und frühgeschichtliche Topographie, selbst die einer Megastadt wie Berlin, zu beschreiben und für einen archäologischen Führer aufzubereiten.

Ur- und Frühgeschichte, also die heimische Archäologie, hat in Berlin eine lange Tradition. Vom späten 19. Jahrhundert bis zum Zweiten Weltkrieg hauptsächlich vom Märkischen Museum und durch Generationen von Heimatforschern betrieben, wurde die Bodendenkmalpflege auch nach der Teilung der Stadt in beiden Hälften gleichermaßen intensiv fortgeführt.

Im Westen zeichneten der am Museum für Vor- und Frühgeschichte angesiedelte „Staatliche Vertrauensmann für die kulturgeschichtlichen Bodenaltertümer" und später das „Archäologische Landesamt Berlin" verantwortlich, im Osten nahmen zuerst das „Institut für- Vor- und Frühgeschichte der Deutschen Akademie der Wissenschaften" und ab 1965 die „Arbeitsstelle für Bodendenkmalpflege am Märkischen Museum" dieselben Aufgaben wahr. Bald nach der Wiedervereinigung wurde mit der Novellierung des Berliner Denkmalschutzgesetzes das „Landesdenkmalamt Berlin" gegründet, dem die Aufgaben der Bau-, Garten- und Bodendenkmalpflege gebündelt übertragen wurden.

Das Land Berlin ist naturräumlich durch das Berlin-Warschauer Urstromtal, die Hochflächen von Barnim und Teltow sowie die Havel geprägt. Historische Kerne sind die Doppelstadt Berlin-Cölln, am alten Spreeübergang, Spandau, an der Havel gegenüber der Spreemündung gelegen, und Köpenick, am Zusammenfluß von Spree und Dahme. Zusammen mit einer Reihe von Dörfern und ehemaligen Städten wie Charlottenburg, wurden sie erst 1920 zur Megastadt Groß-

Berlin vereinigt. Dementsprechend vielgestaltig und unterschiedlich ist auch die vorgeschichtliche und vorstädtische Entwicklung.

Großstadtarchäologie in Berlin hat einen besonderen Reiz. Auf bisher unberührten Freiflächen lassen sich die Spuren der Vorzeit, in den alten Dorfkernen und städtischen Zentren die Strukturen slawischer und frühdeutscher Siedlung sowie mitten in Berlin, in den durch den Krieg entstandenen Stadtbrachen, die Reste mittelalterlichen und frühneuzeitlichen Lebens erforschen. Der wissenschaftliche Gewinn für die Berliner Landesgeschichte ist beträchtlich und von Zeit zu Zeit werden die neuen Erkenntnisse in Sachbüchern einem historisch interessierten Publikum vorgestellt.

Ein Novum ist hingegen ein Stadtführer zu ur- und frühgeschichtlichen oder mittelalterlichen Fundstellen in Berlin. Uwe Michas, Bodendenkmalschützer und Grabungstechniker beim Landesdenkmalamt Berlin, leitet und begleitet den Leser und Nutzer dieses Führers, sei er Berliner oder Tourist, in mehreren Rundgängen per S- und U-Bahn, Bus oder zu Fuß hin zu ausgewählten archäologischen Plätzen. Auch dort, wo auf den ersten Blick nichts Aufsehenerregendes ins Auge springt, vermittelt er mit seinen Beschreibungen lebendige Bilder, die dem aufmerksamen Spaziergänger die vor- und frühgeschichtliche sowie mittelalterliche Topographie Berlins erschließen.

Landesdenkmalamt Berlin 2003

| | |
|---|---|
| Jörg Haspel | Wilfried Menghin |
| Landeskonservator | Landesarchäologe |

# DIE BERLINER
# UR- UND FRÜHGESCHICHTE

## EINFÜHRUNG

# DIE BERLINER UR- UND FRÜHGESCHICHTE

## EINFÜHRUNG

Die naturräumliche Beschaffenheit des Berliner Raumes ist ein Ergebnis der letzten Eiszeit, die vor etwa 10.000 Jahren zu Ende ging. Damals entstanden das Berliner Urstromtal, in dem die Spree fließt, und die Hochflächen Barnim und Teltow, die die Stadt prägen. Noch heute lassen sich die Höhenunterschiede zwischen Tal und Hochflächen im Stadtbild erkennen. Fährt man von Mitte in Richtung Flughafen Tempelhof nach Süden oder Richtung Norden auf der Prenzlauer Allee, bemerkt der aufmerksame Beobachter eine deutliche Steigung. Die Hochflächen weisen etliche kleine Flussniederungen auf. Diese Flüsse, wie die Panke, die Wuhle, das Tegeler Fließ oder die Bäke (heute Teltowkanal) sind ehemalige Gletscherabflüsse und entstanden, ebenso wie die Grunewaldseen, nach dem Rückgang des Eises. Entlang dieser Wasserläufe reihen sich die ur- und frühgeschichtlichen Fundplätze. Durch die insgesamt vier großen Gletschervorstöße der letzten Eiszeit besteht kaum Hoffnung auf altsteinzeitliche Befunde, die Auskunft über das Leben in den wärmeren Zwischeneiszeiten geben könnten. Die Eismassen haben die Oberfläche mehrmals abgetragen und umgelagert. Im 19. Jahrhundert wurde in einer Rixdorfer Kiesgrube eine Schicht entdeckt, die bis zu 13 m unter der heutigen Oberfläche liegt. Sie enthält Knochen von Rentieren, Mammut, wollhaarigem Nashorn und Moschusochsen. Die etwa 55.000 Jahre alte, als „Rixdorfer Horizont" bezeichnete Fundschicht, wurde in den letzten Jahren vor allem bei Tiefbauarbeiten immer wieder angetroffen. Es ist anzunehmen, dass dieser Wildreichtum altsteinzeitliche Jäger anlockte, obwohl bis heute menschliche Spuren aus dieser Zeit fast völlig fehlen. Nur in Hohenschönhausen wurde ein Feuersteinartefakt gefunden, ein Werkzeug, das als eindeutig von menschlicher Hand hergestellt gilt und auf ein Alter von 50.000 bis 60.000 Jahre geschätzt wird.

Rixdorf
Historische Abbildung des „ersten Rixdorfer Horizonts“

## Altsteinzeit/Paläolithikum

Die ersten eindeutigen Nachweise menschlichen Lebens im Berliner Raum gehören in das 9. Jahrtausend v. Chr. In der nacheiszeitlichen Tundra der ausgehenden Altsteinzeit (Paläolithium) durchstreiften kleine Jägergruppen die Landschaft und jagten vor allem Rentiere. Der Lagerplatz einer derartigen Jägergruppe konnte am Tegeler Fließ von 1957 bis 1961 archäologisch untersucht werden. Sie hatte hier an einer Furt dem alljährlichen Zug der Rentiere aufgelauert und hinterließ zahlreiche Spuren. Die Archäologen bargen die typischen Feuersteingeräte wie Pfeilspitzen, Rundschaber und Federmesser. Die Jäger hatten auch Vorratsgruben angelegt, die bis in eine Tiefe von 2,80 m reichten. Zur Erweiterung ihrer Nahrungsgrundlage sammelten diese Menschen auch Wurzeln und Wildfrüchte. Weitere Funde von Feuersteinwerkzeug in Biesdorf, Schmöckwitz und Lübars lassen auf die Anwesenheit anderer Jägergruppen schließen.

## Mittelsteinzeit/Mesolithikum

In Folge der nacheiszeitlichen Klimaverbesserung wich die tundrenartige Vegetation allmählich einem dichten Waldbewuchs mit Birken, Ulmen, Linden, Eichen und Erlen. Das

Zugwild wurde durch Standwild wie Hirsch und Wildschwein abgelöst. Die neue Flora und Fauna erweiterte das Nahrungsangebot beträchtlich. Neben der Jagd gewann der Fischfang an Bedeutung und der Wald gestattete eine Ausdehnung der Sammelwirtschaft. In dieser als Mittelsteinzeit (Mesolithikum) bezeichneten Kulturstufe verbesserten die Menschen ihre Jagdgeräte und Werkzeuge erheblich. Kennzeichnend ist die massenhafte Produktion von sehr kleinen Feuersteingeräten, die vor allem als Pfeilspitzen Verwendung fanden. Daneben treten erstmals Beile und Äxte aus Fels- und Feuerstein auf. Ein Beil, nach der typischen Form als Walzenbeil bezeichnet, wurde beim Bau des Hamburger Bahnhofs gefunden. Es steckte sogar noch in einer Schäftung aus Ulmenholz. Insgesamt sind aus dem Berliner Raum über hundert mittelsteinzeitliche Fundplätze bekannt. Sie befinden sich überwiegend in Gewässernähe, eine Beobachtung, die auch neueste Ausgrabungen in Berlin-Biesdorf bestätigen, wo direkt an der Wuhle Werkzeuge aus jener Zeit gefunden wurden. Interessant ist auch, dass die Masse dieser Fundplätze in die jüngere Phase der Mittelsteinzeit gehören, als eine weitere Klimaerwärmung die Lebensbedingungen noch günstiger gestaltete. Aus dem späten Abschnitt der mittleren Steinzeit stammen auch die ältesten menschlichen Skelettfunde aus dem Berliner Boden. Sie wurden bei Ausgra-

HAMBURGER BAHNHOF

Mittelsteinzeitliches Walzenbeil – die Holzschäftung macht es spektakulär

Biesdorf
Hirschmaske, die eine erfolgreiche Jagd sicherstellen sollte

bungen im Jahre 1925 auf einem Lagerplatz aus dem 4. Jahrtausend v.Chr. in Schmöckwitz geborgen. Nach dem archäologischen Befund handelt es sich eindeutig um Bestattungen. Kultisch gedeutet wird ein an der Heesestraße in Biesdorf gefundener, von Menschenhand zu einer Maske umgestalteter Hirschschädel mit Geweih. Die in das 7. oder 6. Jahrtausend v.Chr. datierte Hirschmaske diente wahrscheinlich der Jagdmagie oder aber wurde als Tarnung bei der Jagd verwendet. Trotz der Vielzahl der Fundplätze kann man noch nicht von einer sesshaften Lebensweise sprechen. Die Jäger und Sammler lebten in einfachen Hütten und Zelten, die sie schwerpunktmäßig an den Havelseen sowie an Dahme und Spree errichteten.

## Jungsteinzeit/Neolithikum

Während die Menschen im Berliner Raum bis zur 2. Hälfte des 4. Jahrtausends v.Chr. ihrer mittelsteinzeitlichen Lebensweise treu blieben, hatten bäuerliche Kulturen schon im 6. Jahrtausend v.Chr. in Mitteleuropa Fuß gefasst. Mit Ackerbau und Viehzucht und einem ganzen Bündel von Innovationen ist die Jungsteinzeit (Neolithikum) durch Sesshaftigkeit bestimmt. Zu den wichtigsten Neuerungen gehörte neben Steinschliff und Steinbohrung vor allem die Herstellung von Tongefäßen. Die erste bäuerliche Kultur in Mitteleuropa, die sich entlang der fruchtbaren Lößgebiete ausbreitete, wurde nach der Verzierungsart ihrer Gefäße als Bandkeramik bezeichnet. Funde im Elb- und Odergebiet zeigen, dass diese Bauern die dichten Waldgebiete des Barnim und Teltow mit ihren sandigen und kiesigen Böden mieden. Erst die Vertreter der Trichterbecherkultur setzten in der 2. Hälfte des 4. Jahrtausend v.Chr. die agrarische Lebensweise im brandenburgisch-berlinischen Raum durch. Die Trichterbecherleute versuchten ihr Glück vor allem auf dem niederen Barnim, entlang der kleineren Flüsse, deren Niederungen den Wald auflockerten. Vom heutigen Berliner Stadtgebiet sind etwa 250 Fundstellen aus dem Neolithikum bekannt. Es sind überwiegend Einzelfunde, vor allem Steinäxte und Beile. In Berlin-Britz wurde eine Siedlung der Trichterbecherkultur ausgegraben. Wie im übrigen Verbreitungsgebiet errichteten die Bewohner dieser Siedlung Pfostenhäuser mit lehmverputzten Flechtwerkwänden. Rind, Schwein und Pferd wurden als Haustiere gehalten. Die für die Mehlherstellung benötigten Mahltröge mit Reibesteinen wurden ebenso ausgegraben wie die flachen Tonscheiben, auf denen das Brot im Feuer gebacken wurde. Bestattungen aus dieser Zeit sind aus dem hiesigen Raum kaum bekannt. Erst von der im 3. Jahrtausend auftretenden Kugelamphorenkultur sind mehrere Gräber in Friedrichsfelde, Lichterfelde, Grunewald und Rudow geborgen worden. Auch lassen sich Einflüsse benachbarter Stämme nachweisen.

## Bronzezeit

Um 1800 v. Chr. gelangte ein völlig neuer Werkstoff in den Norden Europas, die Bronze. Die Kenntnis von der Legierung des Kupfers mit Zinn im Verhältnis 9 zu 1 kam aus dem östlichen Mittelmeer nach Europa. Aus der älteren Phase der Bronzezeit (18. bis 13. Jahrhundert v. Chr.) sind aus dem hiesigen Gebiet nur wenige Siedlungsspuren bekannt. Das ändert sich mit dem Auftreten der Lausitzer Kultur. Günstige klimatische Bedingungen bewirkten einen starken Bevölkerungszuwachs, der sich europaweit bemerkbar machte. So auch im Berliner Raum, wo aus dieser Zeit über 200 Fundplätze bekannt sind. Prägnanteste Hinterlassenschaft der Bronzezeit sind die sogenannten Hort- oder Depotfunde. Sie enthalten oft eine unterschiedliche Anzahl von Bronzegegenständen, vor allem Waffen und Schmuck. Für die Niederlegung werden verschiedene Gründe angeführt. Ein Grund könnte gewesen sein, dass ein Händler im Moment der Gefahr seine Ware vergrub. Ein anderer Grund, diese wertvollen Gegenstände der Erde oder dem Wasser zu übergeben, ist in kultischen Handlungen zu suchen. In diese Richtung weist der Depotfund aus Spandau: zahlreiche Bronzen wurden über eine längere Zeit in der Havel versenkt. Oder der Waffenfund aus Berlin-Buch. Andere Funde, wie der aus Berlin-Hellersdorf, deuten auf Handelsware hin. Der interessanteste Depotfund stammt aus Spindlersfeld. Neben den symbolischen Sonnenrädern ist vor allem eine Gussform bemerkenswert. Sie zeigt, dass die Bewohner in der Lage waren, Bronze zu verarbeiten. Durch zahlreiche Ausgrabungen konnten aber auch die Lebensumstände der einfachen Menschen erforscht werden. In Berlin-Rahnsdorf wurde ein Gräberfeld mit 230 Bestattungen ausgegraben. Ddort wurden die Toten verbrannt und in Urnen mit Beigaben beigesetzt. Auch Siedlungen konnten untersucht werden. Die Menschen lebten in Dörfern mit bis zu hundert Gebäuden, die aus Holz gebaut und mit Lehm verputzt waren. Existenzgrundlage war weiterhin die Landwirtschaft. Auf der Schlossinsel in Köpenick konnte eine lange vermutete bronzezeitliche Burg nachgewiesen werden. Am Tegeler Fließ in Berlin-Blankenfelde wird eine weitere Burganlage vermutet. Eine besondere Dichte bronzezeitlicher Fundstellen ist im Norden Berlins, im heutigen Ortsteil Buch zu erkennen. In diesem Zentrum bronzezeitlicher Besiedlung fand man Schwerter aus dem 9./8. Jahrhundert v.Chr. Eines dieser Schwerter enthält in seinem schalenförmigen Knauf den Hinweis auf eine neue Zeit: als Verzierung wurde ein kleines Stück Eisen verarbeitet.

## Eisenzeit

Der neue Werkstoff Eisen gewann schnell an Bedeutung. Gegenüber der Kupferlegierung Bronze hatte er den unschätzbaren Vorteil, dass er als Rohstoff in Form von Raseneisenerz in den Niederungen der Flüsse leicht zugänglich für alle zur Verfügung stand. In einen langwierigen Prozess wurde aus dem Erz schmiedbares Eisen gewonnen und verarbeitet. Bronze behielt vor allem für die Produktion von Schmuck weiterhin Bedeutung, während Geräte und Waffen nur noch aus Eisen hergestellt wurden. Im nördlichen Mitteleuropa löste die sogenannte Jastorf-Kultur (nach einem Urnengräberfeld in Niedersachsen benannt) die Bronzezeitkulturen ab. Vermutlich durch eine Klimaverschlechterung scheint es in der Mitte des ersten vorchristlichen Jahrtausends zu einer größeren Abwanderung aus dem hiesigen Gebiet gekommen zu sein, die nur teilweise durch eine Zuwanderung aus dem Norden kompensiert wurde. In der vorrömischen Eisenzeit (etwa 600 v.Chr. bis zur Zeitenwende) beginnt die Herausbildung der germanischen Stämme als kulturell und sprachlich eigenständige Gruppe. Wirtschaftlich und zivilisatorisch wurden sie stark von den Kelten beeinflusst, was zahlreiche Importstücke belegen. Der wohl schönste Fund dieser Art ist die in Berlin-Niederschönhausen entdeckte keltische Maskenfibel aus dem 5. Jahrhundert v.Chr. Aus der vorrömischen Eisenzeit sind etwa 55 Fundplätze bekannt, von denen einige Siedlungen auch ausgegraben wurden, wie beispielsweise in Berlin-Waidmannslust oder Marzahn. Es zeigte sich, dass diese Dörfer aus einzelnen Gehöften bestanden. Zu jeder dieser Wirtschaftseinheiten gehörten jeweils ein zweischiffiges Langhaus in Pfostenbauweise mit lehmverschmierten

NIEDERSCHÖNHAUSEN

Maskenfibel, aus keltischem Gebiet importiert

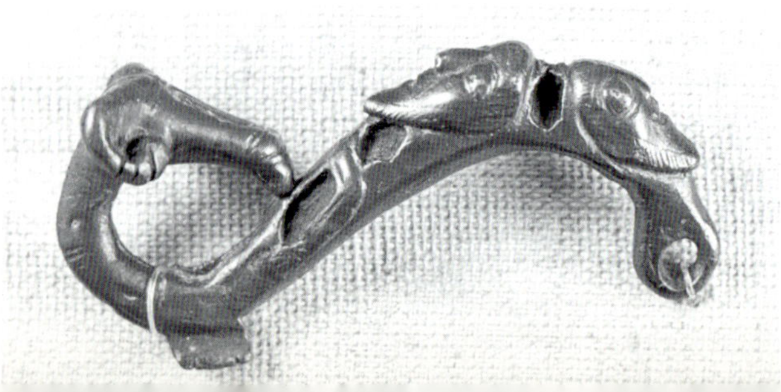

Flechtwerkwänden und zwei bis drei Nebengebäude. Die Langhäuser waren eine Kombination aus Wohnung und Viehstall. Man nutzte die Wärme des Stalles für beide Teile des Hauses und passte sich so den veränderten Klimaverhältnissen an. Die kleineren Nebengebäude dienten vor allem als Vorratslager. Eine Reihe von Funden ließ Rückschlüsse auf handwerkliche Tätigkeiten zu. An Hand von Fehlbränden konnte Keramikherstellung nachgewiesen werden. Gusstiegel und Eisenschlacke belegen, dass die hiesigen Handwerker den Bronzeguss beherrschten sowie das in den Flussniederungen vorkommende Raseneisenerz nutzten und eine breite Palette an Waffen, Werkzeug und Schmuck herstellten. An Haustieren ließen sich Pferd, Schwein, Rind und Ziege nachweisen.

Eine größere Anzahl Gräberfelder aus dieser Zeit wurde ebenfalls archäologisch untersucht. Wie in den vorangegangenen Epochen wurden die Toten in ihrer Tracht verbrannt und in Urnen beigesetzt. An Hand der Beigaben macht sich zunehmend eine soziale Differenzierung der Bevölkerung bemerkbar, darunter gibt es Hinweise auf eine Schicht, die man wegen der Waffen als Krieger ansprechen kann.

## Römische Kaiserzeit

Etwa ab der Zeitenwende bis zum Jahr 375 spricht man von der römischen Kaiserzeit. In dieser Epoche übte das römische Imperium eine große Faszination auf die germanischen Stämme diesseits von Rhein und Donau aus. Erstmals wird auch in schriftlichen Quellen über die Germanen im Elb-Havelgebiet berichtet. Tacitus erwähnt in seiner „Germania" den Stamm der Semnonen, dessen Siedlungsgebiete nach dem Geographen Ptolemaios zwischen Havel und Oder zu lokalisieren sind. Die Lebensweise der Semnonen im heutigen Berliner Raum ist relativ gut erforscht. Zahlreiche Ausgrabungen in Berlin-Lübars, Rudow, Kaulsdorf, Buch und Karow belegen übereinstimmend, dass die Germanen an der Spree wie ihre Vorfahren in Gehöftsiedlungen mit dorfartigen Strukturen lebten. Zu einem Wirtschaftshof gehörten jeweils das schon beschriebene Ensemble aus Wohnstallhaus, Speicherbauten und sogenannte Grubenhäuser. Letztere waren bis zu einem halben Meter in den Boden eingetieft und wahrscheinlich nicht bewohnt, sondern wurden als Produktionsstätten genutzt. Auch konnte die Frage nach der von Tacitus erwähnten weißen Farbe, mit der die Germanen ihre Häuser anstrichen, geklärt werden. Auf vielen Ausgrabungen fanden sich große Ofenanlagen, in denen man Kalk brannte, mit dem die Häuserwände angestrichen wurden. Damit schützten die Bewohner den getrockneten Lehm der Wände vor Witterungseinflüssen und das Haus vor Ungeziefer. Ein derartiges Gehöft wurde in Originalgröße rekonstruiert und ist im Heimatmuseum Berlin-Hermsdorf zu besichtigen.

Im Verlauf der römischen Kaiserzeit fand eine Bevölkerungs- oder besser Stammesverschiebung statt. Im Laufe des 2. Jahrhunderts sind aus Ostbrandenburg und Teilen des heutigen Berlins die Semnonen abgewandert. Diese Gebiete wurden dann von den ostgermanischen Burgunden besiedelt. Archäologisch nachweisbar wurden solche Vorgänge durch die Änderung der materiellen Kultur und Unterschiede in der Grablegung.

## Völkerwanderungszeit

Ab dem 4. Jahrhundert gerieten die Menschen überall im damaligen Germanien in den Sog der Völkerwanderung, deren Beginn in das Jahr 375 gesetzt wird. In diesem Jahr besiegten die Hunnen im Schwarzmeergebiet die Goten, die dann nach Westen abwanderten und zahlreiche Völkerschaften mitrissen. Auch im Berliner Raum machte sich eine Abwanderung mit gravierenden Folgen für die Bevölkerungsstruktur bemerkbar. Gibt es für die römische Kaiserzeit noch über 130 Fundstellen, finden sich für die folgenden Jahrhunderte der Völkerwanderungszeit in Berlin nicht einmal 20. Nur an wenigen Stellen wie Berlin-Britz, Neukölln und Rosenthal lässt sich für das 5. und 6. Jahrhundert noch die Anwesenheit von Germanen durch Grabfunde nachweisen. Auffallend sind dabei die reichen Beigaben, teilweise aus Gold, die den Verstorbenen mit auf ihre letzte Reise gegeben wurden sowie das Aufgeben der Sitte, Leichen zu verbrennen. Wie in weiten Teilen Mittel- und Süddeutschlands wurde statt dessen die Körperbestattung üblich.

## Frühmittelalter/Slawen

Im Verlauf des 6. und 7. Jahrhunderts wanderten slawische Siedlergruppen aus dem Süden und Osten in den fast unbewohnten und wohl auch herrschaftsfreien Raum ein. Bis heute ist die Frage nicht geklärt, ob die Slawen hier auf eine nennenswerte germanische Restbevölkerung getroffen sind. Nachweislich ließen sie sich jedoch auf ehemaligen germanischen Siedlungsplätzen nieder. Ausgrabungen auf diesen Fundplätzen erweckten zunächst den Anschein eines direkten Kontaktes. So zum Beispiel in Berlin-Marzahn, wo ein slawischer Kastenbrunnen direkt auf einen germanischen Brunnen gebaut wurde. Allerdings ergaben naturwissenschaftliche Untersuchungen eine erhebliche Zeitspanne zwischen beiden Anlagen. Ähnliche Ergebnisse brachten andere Ausgrabungen. Für einen direkten Kontakt sprechen Fluss- und Landschaftsnamen wie Havel, Dahme und Teltow, die auf germanischen Ursprung zurück gehen und von Slawen übernommen wurden.

Im Berliner Raum formierten sich zwei slawische Stämme. Beiderseits der Spree, auf dem Barnim und im Ostteltow, lebten die Sprewanen, die 948 und 965 in Urkunden Kaiser Ottos des Großen (936-973) erstmals genannt werden. Das Havelland war das Zentrum des zweiten Stammes, der Heveller. Auch ihr Name findet sich in zeitgenössischen Chroniken, so bei Tiethmar von Merseburg, der erwähnt, dass sich die Heveller selbst Stodorane nannten. Ihr Siedlungsgebiet reichte bis an die heutige Berliner Havel, wobei die Burg Spandau ein wichtiger strategischer Außenposten war. Dichte Wälder und Sümpfe bildeten die Grenze zwischen den Stämmen.

Ausgrabungen slawischer Siedlungen, so in Kaulsdorf und Mahlsdorf, brachten einen guten Einblick in die damalige Lebensweise. Die Siedler errichteten meist ebenerdige Häuser in Blockbauweise. Diese Niederlassungen waren oft ohne System angelegt, so dass man sie auch als Haufendörfer bezeichnet.

Ackerbau und Viehzucht bildeten die Lebensgrundlage der Dorfgemeinschaft. Dazu kam Kleinhandwerk wie Weben, Töpfern, sowie Eisen- und Knochenverarbeitung. Mehrere Siedlungen bildeten zusammen mit einer Burg eine Siedlungskammer. Eine dieser Burgen lag in der Pankeniederung im heutigen Blankenburg. Ausgrabungen ergaben, dass die Burg im 8. Jahrhundert errichtet wurde, mehrmals abbrannte und dann im 10. Jahrhundert aufgeben wurde. Eine ähnliche Anlage gab es anscheinend in Blankenfelde. Mehrere Burgbezirke bildeten das Gebiet eines Stammes, dessen Mittelpunkt eine große Burg war, angelegt an einem besonders wichtigen strategischen Platz. Im Falle der Sprewanen war es die Burg Köpenick, die am Zusammenfluss von Dahme und Spree lag. Hauptburg der Heveller dagegen war die Brandenburg, aber die Lage am Zusammenfluss von Havel und Spree machte auch Spandau zu einer bedeutenden Burg des Stammes. Köpenick und vor allem Spandau wurden in langjährigen Grabungen erforscht. Ihre Lage machte sie immer wieder zum Ziel von Angriffen und Zerstörungen, aber auch zu einem Zentrum des Handels, der beide Burgen in spätslawischer Zeit zu Orten mit frühstädtischem Charakter werden ließ. Im 10. Jahrhundert gerieten die hiesigen Stämme erstmals in die Interessenssphäre des Deutschen Reiches. König Heinrich I. (919-936) eroberte 929 die Brandenburg und konnte die Stämme bis zur Oder tributpflichtig machen. Sein Sohn Otto der Große (936-973) versuchte, die Herrschaft durch die Errichtung von Markgrafschaften und Bistümern zu sichern. Spandau war zu dieser Zeit einer der östlichsten deutschen Stützpunkte und wurde im großen Slawenaufstand von 983 zerstört. Die Deutschen wurden wieder hinter die Elbe gedrängt und es gelang ihnen 170 Jahre lang nicht mehr, ihre Herrschaft wieder herzustellen.

## Hochmittelalter/Deutsche

Ab der Mitte des 12. Jahrhunderts verstärkten deutsche Feudalherren erneut ihre Eroberungszüge. Das Gebiet der Heveller erbte der askanische Markgraf der Nordmark, Albrecht der Bär, vom letzten slawischen Fürsten, der kinderlos starb. Zwar machte ihm der Köpenicker Fürst Jaxa das Havelland noch einmal streitig, doch im Jahre 1157 eroberte der Markgraf entgültig die Brandenburg und nannte sich ab diesem Zeitpunkt Markgraf von Brandenburg. Gegen Ende des 12. Jahrhunderts eroberten die Markgrafen von Meißen die Burg Köpenick und das umliegende Land. In den folgenden Jahrzehnten entbrannte ein langwieriger Streit um den Berliner Raum zwischen den Brandenburgern, Pommern, Meißnern und dem Erzbischof von Magdeburg. In dieser Zeit wurde der alte Burgwall Spandau aufgegeben und im Bereich der heutigen Zitadelle eine askanische Burg und die Stadt Spandau angelegt. Die Eroberung des heutigen Berliner Raumes wurde von einem massiven Landausbau begleitet. Dazu setzten die Fürsten neben den einheimischen Slawen im großem Umfang deutsche Einwanderer ein. Ein kleines hufeisenförmiges Dorf der ersten Einwanderungsphase um 1200 wurde in Zehlendorf ausgegraben und rekonstruiert. Im heutigen Museumsdorf Düppel kann sich der Besucher am originalen Ort ein Bild von den Lebensumständen mittelalterlicher Neusiedler und Bauern machen. Allerdings setzte sich diese Dorfform nicht durch. In der ersten Hälfte des 13. Jahrhunderts entstanden überall die großen Anger- und Straßendörfer. In dem Krieg von 1238 bis 1245 gelang es den Brandenburger Markgrafen ihre Besitzansprüche auf das Spree-Havelgebiet gegen alle anderen Konkurrenten erfolgreich durchzusetzen. Nach ihrem Sieg forcierten die Markgrafenbrüder Johann I. (1220-1266) und Otto III. (1220-1267) den Landesausbau. Schon seit den zwanziger Jahren des 13. Jahrhunderts entstanden die Dörfer, die noch heute ihren Charakter im Großstadtbild bewahrt haben, wie Rosenthal, Britz und Lübars. Zu den Dorfgründern gehörten auch die Templer, die mit Tempelhof, Marienfelde und Mariendorf eine Komturei besaßen und hier vom Markgrafen aus militärischen Gründen angesiedelt wurden. Neben der Erschließung neuer Gebiete ging es den Fürsten auch um handelspolitische Interessen. Durch das Spree-Havelgebiet führte nicht nur eine alte Ost-Weststraße von Magdeburg nach Posen, es kam nach der Intensivierung des Fernhandels im 12. Jahrhundert auch eine Verbindung vom Süden zur Ostsee hinzu. Es war nur eine Frage der Zeit, wann am Berliner Spreepass, wo mehrere Talsandinseln einen sicheren Übergang gewährleisteten,

ROSENTHAL
Ein Satz Keramikgefäße aus dem 13. Jahrhundert

eine Siedlung entstehen würde. Bis vor wenigen Jahren wurde angenommen, dass Berlin-Cölln durch die erwähnten Markgrafenbrüder gegründet wurde. Diese Ansicht musste nach den Ausgrabungen in den kriegszerstörten Kirchen in Berlin-Mitte revidiert werden. Nach den neuesten archäologischen Erkenntnissen fällt die Entstehungszeit der ersten Siedlungen spätestens in das letzte Drittel des 12. Jahrhunderts. Die brandenburgischen Markgrafen förderten die Doppelstadt durch Privilegien und im 14. Jahrhundert wurde die Doppelstadt als das unbestrittene Haupt der Mark bezeichnet. Ab dem Ende des 15. Jahrhunderts entwickelte sich die Stadt zur kurfürstlichen Residenz und wurde im 17. Jahrhundert zur Festung ausgebaut. Eine Einheit als Kommune bildete Berlin und Cölln aber erst auf königlichen Befehl ab dem Jahr 1713. Die Stadt Groß-Berlin entstand schließlich 1920 durch die Eingemeindung der umliegenden Städte und Dörfer, die die ausufernde Stadt baulich längst schon eingeschlossen hatte.

Aus dem heutigen Berliner Stadtgebiet sind weit über tausend ur- und frühgeschichtliche Fundplätze bekannt. Bei dieser Zahl ist es verständlich, dass hier nur ausgewählte Fundstellen, vor allem unter der Prämisse der Zugänglichkeit, vorgestellt werden können.

# DIE STÄDTE –
## ALTE BAUSTEINE DES NEUEN BERLIN

## BERLIN-CÖLLN *30*



## SPANDAU *51*



## KÖPENICK *65*

# BERLIN-CÖLLN

Im letzten Drittel des 12. Jahrhunderts entstanden an einem Spreepass zwei – vermutlich von Händlern angelegte – Siedlungen. Während die Bewohner der westlichen Siedlung ihren Namen von der Metropole am Rhein ableiteten, ist der Name Berlin eine Ableitung eines slawischen Wortes, das eine feuchte oder sumpfige Stelle bezeichnete. Erste schriftliche Erwähnung fanden Cölln 1237 und Berlin 1244. Wann beide Siedlungen das Stadtrecht erhielten, ist unbekannt. Als Datum wird aber die Zeit um 1240 vermutet. Bereits damals erhielt die Doppelstadt auch den Grundriss, abgesehen vom Schloss, wie er noch 400 Jahre später, um 1650, vom Ingenieur Memhardt zu Papier gebracht wurde. Rechtlich waren die beiden Städte bis zum Jahr 1713 getrennt, auch wenn beide Kommunen seit dem 14. Jahrhundert einen gemeinsamen Rat in einem gemeinsamen Rathaus besaßen. Das historische Berlin ist im Feuer des zweiten Weltkrieges fast vollständig untergegangen.

BERLIN-CÖLLN

Der älteste Berliner Stadtplan – von J.G. Memhardt um 1650 gezeichnet

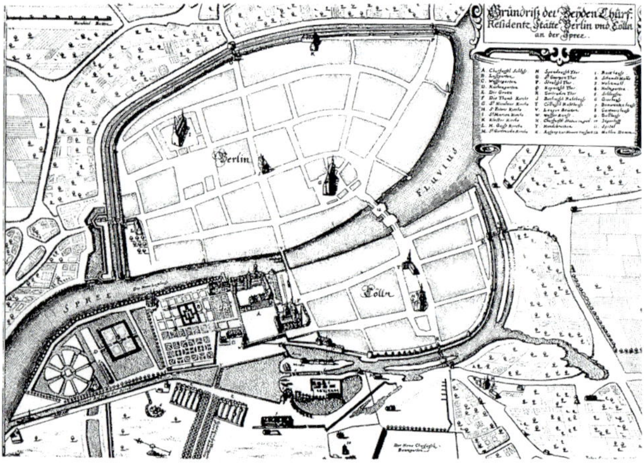

## 1 Gertraudenbrücke/Petrikirche

**U 2 Spittelmarkt**
**Bus 147, 148 Fischerinsel**

Einen Rundgang durch die historische Mitte der Stadt sollte man an der Gertraudenbrücke beginnen. Seit Bestehen der Stadt führte diese Brücke als westlicher Zugang durch das Gertrauden Tor der köllnischen Stadtbefestigung weiter nach Berlin. Vom alten Cölln ist nichts übriggeblieben. Was der zweite Weltkrieg nicht zerstörte, wurde im Verlauf des Umbaus zur Hauptstadt der DDR abgetragen und durch Hochhäuser ersetzt. Trotzdem treffen die Archäologen immer wieder auf Funde und Befunde aus den früheren Jahrhunderten. Nur wenige Schritte von der Gertraudenbrücke entfernt in Richtung Mühlendamm, befindet sich ein Parkplatz. Hier, an der Ecke zur Brüderstraße, erinnert eine Tafel an das Bauwerk, das bis in die sechziger Jahre des 20. Jahrhunderts hier stand: die Petrikirche. Im Jahr 1285 erstmals erwähnt, um 1379 neu erbaut, wurde sie nach einem Brand 1730 durch einen Barockbau ersetzt. Im Jahre 1853 folgte ein neugotischer Bau, den man nach seiner Zerstörung im Zweiten Weltkrieg 1964 beseitigte. Bevor die letzten Reste endgültig unter dem Asphalt verschwanden, konnten die Archäologen die einmalige Chance nutzen, neue Erkenntnisse über die Frühzeit der Stadt zu gewinnen. Unter den Fundamenten der noch bekannten hochgotischen Kirche, fanden sich Reste des frühgotischen und romanischen Vorgängerbaus. Während die beiden gotischen Bauten aus Backstein errichtet wurden, war die spätromanische Kirche ein Bau aus Granitquadern und wird in das erste Drittel des 13. Jahrhunderts datiert. Dieses Gotteshaus ersetzten die Cöllner noch im Verlauf des 13. Jahrhunderts durch einen Neubau. Die interessantesten Befunde lagen unter den Fundamenten der ältesten Kirche. Hier fanden sich 15 Gräber, die vor dem Bau der ersten Steinkirche angelegt worden waren. Diese Gräber gehörten zu einem vorstädtischen Friedhof, der weit vor der Ersterwähnung Cöllns genutzt wurde und nachwies, dass mit einem Beginn der Besiedlung des späteren Stadtareals schon im letzten Drittel des 12. Jahrhunderts zu rechnen ist.

## 2 Cöllner Fischmarkt
**Bus 257 Mühlendamm/Breite Straße**

Nächste Station des Rundganges ist die Ecke Breite Straße/Mühlendamm. Das moderne Gebäude, das den Deutschen Industrie- und Handelstag beherbergt, ist erst wenige Jahre alt. Damit wurde eine große Baulücke geschlossen, die durch die Zerstörungen des Zweiten Weltkrieges entstanden war und seitdem als Parkplatz genutzt wurde. Als im Vorfeld des Neubaus eine archäologische Untersuchung der betreffenden drei Grundstücke angesetzt wurde, bestand die berechtigte Hoffnung, dass man am ehemaligen Cöllner Fischmarkt auf stadtgeschichtlich relevante Funde treffen würde. Unter den neuzeitlichen Kellern fanden sich tatsächlich Reste der Bebauung, die bis in die Gründungszeit der Stadt zurück reichten. Seit dieser Zeit waren diese Grundstücke bebaut und ihre ursprüngliche Parzellierung blieb bis in das vorige Jahrhundert bestehen. Ab dem frühen 17. Jahrhundert ersetzten massive Steinhäuser die Fachwerkkonstruktionen und die bis dahin lockere Bauweise wich einer intensiven Nutzung mit Wohn- und Wirtschaftsgebäuden. Die ältesten Befunde entstammen der ersten Hälfte

Cöllner Fischmarkt/Breite Strasse
Rekonstruktion der ersten nachgewiesenen Bebauung

des 13. Jahrhunderts. Es waren mehrere Holzkeller, die zu Fachwerk- oder Holzhäusern gehörten. Eines der Gehöfte ließ sich rekonstruieren. Es bestand aus einem Wohnhaus, dessen Giebel zur Straße stand, sowie einem Wirtschaftsgebäude, das sich im rückwärtigen Hofbereich befand. Funde wie Reitersporen, hochwertige Keramik und Glas sprechen für gut situierte Bewohner dieser Häuser, zum Beispiel Händler oder wohlhabende Handwerker. Bei der naturwissenschaftlichen Untersuchung des Holzes wurde eine Bohle, die in einem der Keller verbaut worden war, in die Zeit kurz nach 1171 datiert, womit sich die Vermutung weiter verdichtet, dass sich die ersten Siedler schon im letzten Drittel des 12. Jahrhunderts an diesem Spreepass niedergelassen haben.

## 3 Mühlendamm

**Bus 143, 148, 257 Mühlendammbrücke**

Über den Mühlendamm, der ältesten Verbindung zwischen Berlin und Cölln, geht es zum Nikolaiviertel. An diesem Damm fanden nie gezielte archäologische Untersuchungen statt, jedoch ließen Beobachtungen bei Umbauten Rückschlüsse auf die Baugeschichte des Dammes zu. Der Mühlendamm wurde zwar erstmals 1298 erwähnt, ist aber mit Sicherheit älter. Bei den Umbauten im 19. und 20. Jahrhundert kamen umfangreiche Konstruktionen aus Holz und Stein zu Tage. Während der erste Übergang ein schlichter Knüppeldamm war, wurde in der Folge die Spree aufgestaut und Mühlen angelegt. Zug um Zug wurde die Anlage ausgebaut, teilweise mit Hölzern bis zu einem halben Meter Durchmesser aus Eiche und Fichte. Durch die zahlreichen Mühlen, die dem Bauwerk den Namen gaben, hatte der Damm eine hohe wirtschaftliche Bedeutung. Zeitweise befand sich auf dem Damm auch eine größere Anzahl Verkaufsbuden. Bei den letzten Umbauten vor dem Zweiten Weltkrieg kamen zahlreiche Gegenstände aus der Vergangenheit an das Tageslicht. Besonders viele Funde wurden beim Abriss des an den Mühlendamm grenzenden Geländes, heute Rolandufer, gemacht. Dort wurden in den vergangenen Jahrhunderten die Frachtschiffe entladen und dabei ging offenbar einiges verloren. Dazu gehörte eine große Anzahl Keramik und

Eisengegenstände, aber auch eine goldene Ratskette und ein Schwert aus dem 13. Jahrhundert.

## 4 Nikolaiviertel/Nikolaikirche

**Bus 143, 148, 257 Mühlendammbrücke**
**Bus 142, 143, 148 Berliner Rathaus**

Im Zentrum des in den achtziger Jahren des vorigen Jahrhunderts neu entstandenen Nikolaiviertels steht die Nikolaikirche, Berlins älteste Pfarrkirche. Hier, in der Nähe des Molkenmarktes, der im Mittelalter der Alte Markt hieß, liegt die Wiege Berlins. Durch archäologische Ausgrabungen konnte die Baugeschichte dieser Kirche sehr genau erforscht werden. Die Nikolaikirche in der heutigen Gestalt ist der dritte – spätgotische – Bau, dessen Wiederaufbau nach den Kriegszerstörungen bis 1987 aus Anlass des Stadtjubiläums abgeschlossen war. Dieser dreischiffige Hallenbau aus Backstein entstand nach dem großen Stadtbrand von 1380 und hatte zwei Vorgängerbauten: eine frühgotische Hallenkirche aus Backstein sowie eine spätromanische Pfeilerbasilika aus Granitquadern. Die beiden gotischen Kirchen nutzten teilweise die Fundamente der Basilika. Dieser Bau war eine spätromanische Feldsteinbasilika mit einem dreischiffigen Langhaus, einem Querschiff, einer halbrunden Hauptapsis und zwei Seitenapsiden. Den westlichen Abschluss bildete ein massiver rechteckiger Turm, der noch in den untersten drei Etagen des heutigen Turmes erhalten geblieben ist, erkennbar an der sauber gefügten Quadertechnik. Die Gesamtlänge der Basilika betrug 56 m. Ihre Entstehungszeit wird in die Zeit vor 1230 angesetzt, manche Vermutungen sprechen sogar von einem Baubeginn um 1200. Im Innenraum der heute als Museum genutzten Kirche ist der ergrabene Grundriss der Basilika durch farbige Fußbodenplatten markiert. Ebenfalls im Kirchenschiff kann der Besucher ein Baudetail im Original besichtigen, die Fundamentreste im Choransatz. Die Basilika war noch im 13. Jahrhundert durch eine frühgotische Hallenkirche ersetzt worden. Die Ausgrabung erlangte durch weitere Befunde eine außerordentliche Bedeutung für die Berliner Stadtgeschichte. Unter den Fundamenten der ältesten Kirche kamen insgesamt 90 Gräber zum Vorschein.

Nikolaikirche
Freigelegte Fundamente des ersten Kirchenbaus

Die Entdeckung wies erstmals nach, dass es in Berlin eine vorstädtische Siedlung gegeben hatte, die weit vor die Zeit der ersten schriftlichen Erwähnung reicht. Heute geht die Forschung davon aus, dass das Nikolaiviertel etwa das Areal der ersten vorstädtischen Siedlung markiert. Die Kirche wird für Ausstellungen des Stadtmuseums genutzt.

## 5 Franziskaner Klosterkirche
### U 2 Klosterstraße

Die Ruine der Franziskaner Klosterkirche liegt in der Klosterstraße, nur wenige Meter entfernt von der Grunerstraße, einer der Hauptverkehrsstraßen in Berlins Mitte. Die Klosterkirche galt bis zu ihrer Zerstörung im April 1945 als Perle der märkischen Backsteinarchitektur. Seit der Mitte des 13. Jahrhunderts war der Franziskanerorden in Berlin ansässig. Wie in anderen märkischen Städten legten die Franziskaner ihre Klöster am Rande der Stadt, direkt an der Stadtmauer, an. Der Bau der Klosterkirche als dreischiffiger gotischer Backsteinbau erfolgte im letzten Drittel des 13. Jahrhunderts. Im Zuge der Reformation wurde das Kloster aufgelöst und vom Kurfürsten Johann Georg 1574 als „Schule zum Grauen Kloster" eingerichtet. Im Bombenhagel des Zweiten Weltkrieges ging die Gesamtanlage des Klosters bis auf wenige Reste verloren. Nur die jetzt noch erhaltene Ruine und einige Gebäudereste des Klosters blieben stehen. Letztere wurden beim Bau der Gruner-

FRANZISKANER KLOSTERKIRCHE
Blick auf eine mittelalterliche Bestattung

straße beseitigt. In den Jahren 1842-46 und 1926-36 waren umfangreiche Restaurierungsarbeiten an dem wertvollen Baudenkmal vorgenommen worden. Leider wurden diese nicht für archäologische Forschungen genutzt, obwohl im Zusammenhang mit dem Bau der Kirche einige wichtige Forschungsfragen stehen. So ist die Frage nach einem Vorgängerbau, der auf Grund verschiedener Hinweise vermutet wird, wie der Feldsteinmauer an der Nordseite der Kirche, bis heute nicht geklärt. Auch der merkwürdige Verlauf der Stadtmauer, die um den Chor einen weiten Bogen macht, warf immer wieder Fragen auf. Erst in den letzten Jahren konnten bei baulichen Untersuchungen, die von archäologischen Maßnahmen begleitet wurden, einige Forschungsfragen geklärt werden. Eine Ausgrabung im äußeren Chorbereich wies nach, dass das Gelände für den Bau der Kirche und der Stadtmauer durch Aufschüttung für die Bebauung vorbereitet wurde. Die heutige Littenstraße war im Mittelalter einer der Spreearme, die Berlin umflossen. Das Gelände war torfig und damit ein schwieriger Baugrund. Der Bau der Kirche und der Stadtmauer wurde zusammen geplant und ausgeführt. Reste der Mauer wurden in der heutigen Einfassung verwendet und sind als Feldsteinverbund zwischen den Ziegelsteinen noch sichtbar. Im Langschiff der Kirche wurde direkt an einem Pfeilerbankett ein mittelalterliches Grab gefunden, dessen aufwendige Konstruktion für eine wichtige Persönlichkeit spricht. Die Klosterruine ist – außer im Winter – geöffnet und es finden hier kulturelle Veranstaltungen statt.

## 6 Podewils'sches Palais
**U 2 Klosterstraße**

Nur wenige Schritte von der Klosterkirche entfernt befindet sich das Podewils'sche Palais. Das barocke Palais wurde in den Jahren 1701-04 erbaut. Im Zweiten Weltkrieg stark beschädigt, unterlag es in den vergangenen Jahrzehnten zahlreichen Umbauten. Diese gaben den Archäologen immer wieder die Möglichkeit in den Kellerräumen und im Hof Untersuchungen durchzuführen. Die mittelalterlichen Befunde lagen noch unter dem Kellerboden, über zwei Meter tiefer als das heutige Straßenniveau. Hier hatte im Mittelalter ein Schmied sein

Domizil. Nachweislich fanden sich neben Häusern auch die Reste von mehreren Kuppelöfen für die Eisenverarbeitung und Vorratsgruben mit Holzkohle. Die hohen Temperaturen, die beim Schmieden entstanden, machen es verständlich, dass man solche Handwerker am Rande der Stadt ansiedelte. Eine Gasse in unmittelbarer Nähe hieß im Mittelalter und in der frühen Neuzeit Kleine Schmiedegasse. Unter den mittelalterlichen Schichten fanden sich auch Gruben aus der Bronzezeit. Zwischen diesen beiden Kulturschichten befand sich eine breite Schwemmsandschicht.

## 7 Parochialkirche
**U 2 Klosterstraße**

Nur durch die Parochialstraße getrennt, steht neben dem Palais die Parochialkirche. Dieser bedeutende Sakralbau, dessen Grundstein im Jahr 1695 gelegt wurde, verfügt über 30 Gewölbe. Hier wurden im 18. und 19. Jahrhundert 556 Beisetzungen vorgenommen, vor allem aus der Berliner Oberschicht, wie Minister, Höflinge, Militärs oder Kaufleute. Schon 1704 wies der Architekt Pitzler auf die durch die bauliche Struktur auf-

PAROCHIALKIRCHE
Das unverputzte Mauerwerk macht die Kirchenhalle noch beeindruckender

PAROCHIALKIRCHE
Zustand der Särge vor der notwendigen Restaurierung

tretende Mumifizierung der Verstorbenen hin. Eine große Anzahl an Luft- und Lichtöffnungen garantieren einen ständigen trocken-kalten Luftzug. Im Jahr 1940 waren von den über fünfhundert Särgen nur noch 159 vorhanden. Der Verbleib des Restes konnte nicht geklärt werden. Nach dem Zweiten Weltkrieg erlitt der noch vorhandene Bestand durch Plünderung erhebliche Schäden und wurde zum Schutz eingemauert. Bei Öffnung der Gruft wurden erhebliche Schäden an den Särgen und Mumien festgestellt. Eine archäologische Ausgrabung im klassischen Sinne fand in der Kirche nicht statt, aber da die Bestattungen „unter" der Erde liegen, wurde der Berliner Bodendenkmalpflege die Dokumentierung des vorhandenen Bestandes übertragen. Bei 46 Mumien konnten noch zeittypische Kleidungsstücke festgestellt werden. Auch fanden sich kleinere Beigaben. Der umfangreiche Mumien- und Sargbestand in der Parochialkirche ist ein bedeutendes überregionales Denkmal.

## 8 Berliner Stadtmauer

**U 2 Klosterstraße**
**Bus 142, 148, 257 Alexanderplatz/Grunerstraße**

Zwischen der Waisen- und Littenstraße trifft man auf die einzigen sichtbaren Überreste der Berliner Stadtmauer. Dieser Mauerzug wurde 1948 bei Enttrümmerungsarbeiten entdeckt, freigelegt und restauriert. Die erhaltenen Reste der Mauer haben noch eine Länge von etwa 120 m, allerdings mehrmals unterbrochen. Gefertigt wurde die Mauer aus Feldsteinen und Backsteinen und hat heute noch eine Höhe von 3 bis 5 m. Die ursprüngliche Höhe wird auf 6 bis 7 m geschätzt, die Breite beträgt im Bodenbereich 1,80 m und verjüngt sich bis zur Mauerkrone auf 50 cm. Mehrmals konnte bei Arbeiten – so beim Wiederaufbau der Gaststätte „Zur letzten Instanz" – die Fundamentierung beobachtet werden. Sie reichte bis zu einer Tiefe von 2,30 m. Unweit der Klosterkirche erreichte das Fundament eine Breite von 3,50 m. Die Stadtbefestigung

LITTENSTRASSE
Reste der Berliner Stadtmauer

umfasste ehemals beide Städte und hatte insgesamt eine Länge von etwa 2,5 km, wobei Berlin drei und Cölln zwei Tore besaß. Die vermutete Sicherung der Stadt vor der Errichtung der Mauer durch eine Palisade konnte noch an keiner Stelle nachgewiesen werden. Wann die Berliner mit dem Bau ihrer Stadtbefestigung begannen, ist nicht sicher, aber die archäologische Forschung rechnet mit einem Baubeginn im letzten Viertel des 13. Jahrhunderts. Auf Reste dieser Mauer stoßen die Archäologen immer wieder. So bei Abrissarbeiten in der Littenstraße 105, wo sie im Kellerbereich noch erhalten waren.

## 9 Rotes Rathaus

**U 2 Alexanderplatz**
**S 3, 5, 7, 9, 75 Alexanderplatz**
**Bus 142, 143, 148, 257 Berliner Rathaus**

Die vor dem Roten Rathaus liegende Brache war bis 1945 dicht bebaut und hatte die mittelalterlichen Strukturen der Stadt bewahrt. In den Jahren 1955/56 fand in den Kellern des ehemaligen Grundstücks Hoher Steinweg 15 eine Ausgrabung statt. Unter den Kellerräumen, die aus dem Spätmittelalter stammten, konnten Schichten festgestellt werden, die von mehreren Vorgängerbauten stammten. Die Funde wiesen den ältesten Bau der Zeit zu, in der man die Erweiterung der Kernsiedlung von der Nikolaikirche bis hin zum Gelände um die Marienkirche vermutete. Hinweise darauf gibt es aus der Sprachforschung, die darauf verwies, dass der Markt bei der Nikolaikirche „der Alte Markt" und der Markt an der Marienkirche „der Neue Markt" genannt wurde. Die Grabung stützt die These von einer gezielten Erweiterung der Stadt, die im Zusammenhang mit der vermuteten Stadtrechtsverleihung um 1240 zu sehen ist.

## 10 Kapelle des Heiliggeist-Hospitals

**Bus 100, 142, 143, 148, 200, 348 Spandauer Straße**
**Tram 2, 3, 5, 6 Spandauer Straße**

Die Kapelle des Heiliggeist-Hospitals in der Spandauerstraße ist das schönste noch erhaltene mittelalterliche Bau-

Heiliggeist-Hospital
Die bestatteten Menschen liegen dicht an dicht

denkmal im Zentrum Berlins. Der spätgotische Bau besitzt wohl noch einen älteren Kern, denn das eigentliche Hospital wird schon bei Gründung der Stadt angelegt worden sein. Außer der Kapelle wurden alle anderen Gebäude des bis 1886 genutzten Hospitals abgerissen. In den Jahren 1995/96 fanden zwischen der Kapelle und der Spreepromenade Ausgrabungen statt. Das Gelände war vor allem durch die Überbauung im 19. und 20. Jahrhundert mit der Börse, Hospitalerweiterung und Hochschule stark gestört worden. Trotzdem gelang es den Archäologen auf dem Friedhof des Hospitals, der auf den Stadtplänen aus dem 17. Jahrhundert zu erkennen ist, die Skelettreste von noch über 500 Individuen zu dokumentieren. Die Gräber lagen bis zu einer Tiefe von drei Metern. Dicht an dicht lagen vor allem Einzelbestattungen, aber auch Mehrfach-, Gruppen- und Massengräber. Wie bei christlichen Gräbern zu erwarten, war die Masse beigabenlos. Bei zwei Bestattungen nahe der Kapelle fanden sich sogenannte „Totenpfennige", die man dem Verstorbenen als Reisegeld in den Mund gelegt hatte. Es waren Denare des brandenburgischen Kurfürsten Joachim I. (1499-

1535). Aus dem Grab einer älteren Frau kamen 27 Silbermünzen des Markgrafen Waldemar (1305-1319) zu Tage. Von besonderem Interesse waren mehrere Massengräber, die die Reste von bis zu fünfzig Toten enthielten. Bei diesen Massengräbern handelt es sich aller Wahrscheinlichkeit nach um Pestgruben. Seit der Mitte des 14. Jahrhunderts suchte der schwarze Tod, die Pest, Europa heim. In Berlin trat sie zuletzt 1682 auf und in diese Zeitspanne lassen sich auch die Massengräber einordnen. Hospitäler waren in der mittelalterlichen Stadt eine wichtige Einrichtung für sozial schwache Gruppen. Teilweise spiegeln die geborgenen Knochen diese Gruppen wieder. Auch die barocke Friedhofsmauer, die auf dem Stadtplan von Schulz aus dem Jahre 1688 zu sehen ist und den Friedhof, der ursprünglich größer war, begrenzte, wurde gefunden. Restaurierte Reste dieser Mauer sind hinter dem Hospital zu sehen. Nahe dem Spreeufer gelang es den Archäologen erstmals auf dem Stadtgebiet des alten Berlin eine slawische Siedlungsschicht aus dem 9. und 10. Jahrhundert nachzuweisen.

## 11 Berliner Schloss

**Bus 257 Breite Straße/Schlossplatz**
**Bus 100, 200, 348 Lustgarten**

Am 31. Juli 1443 legte Kurfürst Friedrich II. den Grundstein für das Berliner Schloss. Der Kurfürst ließ das Schloss direkt an der nordwestlichen Cöllner Stadtmauer errichten, so dass der große Eckturm der Stadtbefestigung – der sogenannte „Grüne Hut" – zu einem Schlossturm wurde. Bis zur Zerstörung zu Beginn der fünfziger Jahre des vorigen Jahrhunderts entwickelte sich aus der ehemals gotischen Anlage im Lauf der Jahrhunderte eine imposante barocke Residenz, die Größte ihrer Art nördlich der Alpen. Das Schloss und sein Umfeld waren bis zu seiner Zerstörung am Ende des Zweiten Weltkrieges das architektonische Zentrum der deutschen Hauptstadt. Im Vorfeld der geplanten Neubebauung des Schlossplatzes erhielten Berliner Archäologen die Chance, einige Fragen der Baugeschichte dieses Platzes zu klären. Weiterhin sollte der Zustand der Schlossfundamente untersucht werden. Es wurden vor allem die Fundamente und Keller der Schlosserweiterungsbauten von

Schlossplatz

Die Fundamente des Berliner Schlosses – Archäologie zum Miterleben (siehe auch das Titelbild dieses Buches)

1707 bis 1713 und 1891 bis 1894 dokumentiert. Die Kellerräume wurden weitgehend intakt angetroffen. In dem ergrabenen Kellerbereich fand sich die gegen Ende des 19. Jahrhunderts eingebaute Heizungsanlage. Dieser Teil der ergrabenen Schlossfundamente wurde für die Besichtigung hergerichtet. Unmittelbar an der nordwestlichen Ecke der Schlossfundamente wurden die Baugrube und die Fundamentreste des sogenannten Münzturmes gefunden. Mit ihm verbindet sich das Schicksal des Baumeisters Andreas Schlüter, Schöpfer des Denkmals des Großen Kurfürsten. Der aus dem Jahre 1572 stammende Turm wurde ab 1680 als Münzprägestätte genutzt und sollte auf eine Höhe von über 90 m aufgestockt werden. Noch kurz vor seiner Vollendung 1706 begann sich der Turm zu neigen, obwohl Schlüter neue Pfahlgründungen anlegen ließ. Der Turm war nicht mehr zu retten und Andreas Schlüter wurde seines Amtes enthoben und durch Eosander von Göthe ersetzt, der das Bauwerk abtragen ließ. Zu den erwarteten Befunden konnten die Archäologen noch einige Überraschungen dokumentieren. Dazu gehörte ein Graben, gefüllt mit Findlingen. Eine Deutung ist bis heute schwierig, doch scheint es sich um einen Entwässerungsgraben zu handeln, der wohl im Zusammenhang mit dem Bau des ersten Schlosses steht. Noch interessanter als dieser Graben waren die mittelalterlichen Befunde, die nachwiesen, dass sich Menschen schon früh auf dieser Insel vor den Mauern Cöllns ansiedelten.

## 12 Dominikanerkloster
**Bus 257 Schlossplatz/Breite Straße**

Auch im Umfeld des Schlosses fanden zahlreiche archäologische Untersuchungen statt. Schon 1880 und 1928/29 wurden Ausgrabungen auf dem Schlossplatz an der ehemaligen Kirche des Dominikanerklosters vorgenommen. Die Dominikaner gründeten ihr Kloster um das Jahr 1297 und errichteten ihr Domizil an der nördlichen Cöllner Stadtmauer. Heute liegt dieser Ort direkt vor dem ehemaligen Staatsratsgebäude und zeitweiligem Sitz des Bundeskanzlers. Durch diese Ausgrabungen konnten die wenigen Bildnisse der um 1300 erbauten, ab 1536 als Dom genutzten und 1747 wegen Baufälligkeit ab-

Schlossplatz
Pfeilersockel der gotischen Kirche des Dominikanerklosters

gerissen Kirche ergänzt werden. Die bis zu diesem Zeitpunkt dort zur letzten Ruhe gebetteten Kurfürsten wurden in den neuen Berlin Dom überführt. Nach dem Abriss stellte man jedoch fest, dass drei Kurfürsten, Johann Cicero, Joachim I. und Joachim II., fehlten. Allerdings drang man bei den Ausgrabungen nicht bis in den Chorbereich vor und so wurden die vermissten Landesherren auch bei diesen Untersuchungen nicht gefunden. Die Kirche selbst stellte sich als dreischiffiger, rechteckiger frühgotischer Bau mit sechs Pfeilerpaaren dar. Nördlich der Kirchenfundamente fanden sich Reste der Klosteranlage und der Stadtbefestigung. 1997 wurde erneut eine Untersuchung durchgeführt. Dabei wurden Baubefunde und Bestattungen vom 13. bis 18. Jahrhundert dokumentiert. Neben barockzeitlichen Grüften kamen auch Gruben zu Tage, die vor die Zeit des Klosterbaues am Ende des 13. Jahrhunderts gehörten. Aus der Bauzeit des Klosters wurde zum Beispiel ein Pfeilersockel freigelegt.

## 13 Schinkelsche Bauakademie
**Bus 257 Oberwallstraße**

Zu den Untersuchungen im Umfeld des ehemaligen Schlosses gehörte auch eine archäologische Begleitung des Abrisses des ehemaligen Außenministeriums der DDR, das auf den Fundamenten der Schinkelschen Bauakademie errichtet worden war. Dabei war es weniger die Aufgabe der Archäologen die Fundamente zu sichern, als vielmehr im einplanierten Schutt der Akademie möglichst viele Reste von Bauteilen zu bergen. Sie sollen insbesondere als Muster bei der Rekonstruktion der Bauakademie dienen. Schon für die wieder errichtete Nordostecke der Akademie wurden viele der geborgenen Architekturteile herangezogen. Sie dienten als Vorlagen für Farbe, Form und Konsistenz der in der Fassade verbauten Ziegel.

Schinkelsche Bauakademie
Geborgene Architekturteile helfen bei der Rekonstrukion

Werderscher Markt
Reste des ehemaligen Münzkanals

## 14 Werderscher Markt
**Bus 257 Oberwallstraße**

Nur wenige Schritte von der ehemaligen Bauakademie entfernt steht der Neubau des Bundesaußenministeriums. Das Gelände liegt am ehemaligen Werderschen Markt, der das Zentrum des Friedrichswerders war, der ersten Stadterweiterung aus dem Jahre 1658. Sie war auch Teil des beginnenden Festungsausbaues. Hier standen das Friedrichswerdersche Rathaus, das Fürstenhaus und die königliche Münze. Im Jahre 1674 wurden die ersten Gebäude der Münze errichtet. Bis 1750 war dieser Komplex fertiggestellt. Als Energiequelle für die Prägestöcke wurde die Wasserkraft genutzt, wozu man den Münzkanal anlegte. Die zum Teil gut erhaltenen Überbleibsel dieses bedeutenden Bauwerkes wurden während der Ausgrabung dokumentiert, da sie am originalen Ort nicht erhalten werden konnten. Die Kanalwandung bestand aus Sand- und Kalkstein. Teilweise nutzte man die Steine aus den abgebrochenen Festungswerken. Der Kanalboden war aus Holzbohlen gefertigt. Im – für den Besucherverkehr zugänglichen – Foyer des Außenministeriums ist ein Modell dieses Kanals zu sehen.

## 15 Strausberger Platz/Rabenstein
**U 5 Strausberger Platz**
**Bus 142 U Strausberger Platz**

Wer heute auf dem Strausberger Platz steht, wird sich kaum vorstellen können, dass dieses dicht bebaute Areal im Mittelalter weit vor den Toren Berlins lag. Trotzdem hatte dieser Ort für die Berliner eine besondere Bedeutung, für manche wurde er zur Endstation. Hier befand sich nämlich der so genannte „Rabenstein", Berlins Hinrichtungsstätte. Berühmtester Delinquent war wohl Hans Kohlhase, der dort am 22. März 1540 gerädert wurde. Heinrich von Kleist setzte diesem Manne ein bleibendes Denkmal. Im 18. Jahrhundert wurde hier einer der Berliner Friedhöfe angelegt, der unmittelbar vor den Toren der Stadt lag. Immer wieder werden bei Bauarbeiten Skelette gefunden und sorgen im Berliner Blätterwald für Diskussionen über die Herkunft dieser menschlichen Überbleibsel.

## 16 Bethlehemskirche

**Bus U Kochstraße/Checkpoint Charlie**
**U 6 Kochstraße**

Nur wenige archäologische Befunde finden im Stadtbild ihren Widerhall. Im Falle der ehemaligen Bethlehemskirche gelang dies in vorbildlicher Weise. Der 1963 abgerissene Barockbau war an der Mauerstraße/Friedrichstraße im Fundament erhalten geblieben. Nach der Ausgrabung gelang es der Bodendenkmalpflege den Bauherren zu überzeugen, nicht nur den Platz frei zu halten, sondern auch die ehemalige Kirche im Pflaster sichtbar zu machen. Die Kirche war in den Jahren 1735 bis 1737 im Zusammenhang mit der Ansiedlung von protestantischen Böhmen erbaut worden. Da die Kirchenruine in unmittelbarer Nachbarschaft zum Grenzübergang Checkpoint Charlie stand, wurde sie schließlich gesprengt und abgetragen.

BETHLEHEMSKIRCHE
Durch die besondere Pflasterung sind die Umrisse der abgerissenen Kirche weiterhin zu erkennen

# SPANDAU

Spandau, gegenüber der Spreemündung an der Havel gelegen, weist den ältesten städtischen Kern im Berliner Stadtgebiet auf. Die Stadt wurde – wie ein Großteil des heutigen Berlins – erst im Jahr 1920 eingemeindet. Obwohl die Havelstadt Jahrhunderte im Schatten der Nachbargemeinde Berlin lebte, spielte sie in der brandenburgischen Geschichte immer eine besondere Rolle. Zeitweise der östlichste Stützpunkt der askanischen Markgrafen, wurde von hier aus die Eroberung des Umlandes bis zur Oder hin betrieben. Funde zeigen, dass dieser Ort am Zusammenfluss von Spree und Havel schon immer ein bevorzugter Siedlungsplatz war. In slawischer Zeit bestand südlich der heutigen Altstadt „Am Burgwall" eine strategisch wichtige Burg der Heveller. Die seit den siebziger Jahren des vorigen Jahrhunderts intensiv durchgeführten archäologischen Forschungen haben nicht nur große wissenschaftliche Erfolge erbracht, sondern auch viel zur Popularisierung der Archäologie in Berlin beigetragen. Neben der Altstadt ist vor allem die Zitadelle ein Magnet für Besucher.

## 17 Spandauer Zitadelle

**U 7 Zitadelle**
**Bus X 33, 133 Zitadelle Spandau**

Die archäologische Enddeckungsreise in diesem Teil Berlins sollte in der Spandauer Zitadelle beginnen, einem der herausragenden Baudenkmale des Landes. Die Grundform ist ein gleichseitiges Viereck. Die Länge der Außenmauern beträgt 200 m. An den vier Ecken ragen die Bastionen hervor, die in ihrer Entstehungszeit die Namen Kurfürst, Kurfürstin, Kurprinz und Brandenburg erhielten. Nach der Krönung des ersten preußischen Königs wurden drei Bastionen in König, Königin und Kronprinz umgenannt. Seit Jahrzehnten wird die Sanierung der Zitadelle durch Archäologen wissenschaftlich begleitet. Die Ausgrabungen erbrachten nicht nur neue Erkenntnisse zur Baugeschichte, sie machten es auch möglich, einen Teil der ausgegrabenen Baubefunde zu konservieren und der Öffentlichkeit

Spandauer Zitadelle

Das Kommandantenhaus, Eingang zur Zitadelle

zugänglich zu machen. Abgesehen von der Innenbebauung ist die Festung in ihrem heutigen Erscheinungsbild ein Werk des Grafen Rochus Guerini zu Lynar. Er leitete im Auftrag der brandenburgischen Kurfürsten im letzten Drittel des 16. Jahrhunderts den Bau der Zitadelle. Reste der mittelalterlichen Burg sind noch im Form des sogenannten Juluisturmes und des Burgpalas unmittelbar hinter dem Tor erhalten. Diese Burg spielte in der Frühzeit der Mark Brandenburg eine wichtige Rolle. Von hier aus drangen die askanischen Markgrafen nach Nordosten Richtung Oder und entlang der Spree auf Köpenick vor. Entsprechen der strategischen Lage wurde die Burg mehrmals umgebaut und damaligen militärischen Erfordernissen angepasst. Die Zitadelle kann als eines der am besten erforschten Bauwerke im Berliner Raum angesehen werden. Die Ergebnisse dieser Forschung sind teilweise den Besuchern der Festung zugänglich gemacht worden.

Der Rundgang beginnt unmittelbar hinter dem Torbereich. Hier befinden sich mit dem Juliusturm und dem Burgpalas die ältesten noch stehenden Gebäude der Zitadelle. Der Turm wurde zu Beginn des 13. Jahrhunderts errichtet und war das Herzstück der mittelalterlichen Anlage. Wie schon in der slawischen Vorgängerburg war dieser Teil vom Vorburgareal, das sich ellipsenförmig auf den heutigen Zitadellenhof erstreckte, durch einen Graben getrennt. Unmittelbar an den Turm schließt sich der Palas an. In seiner heutigen Erscheinungsform ist er ein Bau aus der zweiten Hälfte des 15. Jahrhunderts.

Neben dem Juliusturm befindet sich das sogenannte Foyer B. Hier hatte die moderne Bauplanung eine ausgedehnte Toilettenanlage, eine Künstlergarderobe und ein Stuhllager für die Nutzung des Gotischen Saales im Palas vorgesehen. Beim Abtrag des aus dem 16. und 17. Jahrhundert stammenden hohen Erdwalls der Westkurtine kamen die hervorragend erhaltenen Reste der Befestigungen aus Holz und Feldsteinen des 11. bis 16. Jahrhunderts zu Tage. Die Bedeutung des Fundes

SPANDAUER ZITADELLE

Die hölzernen und steinernen Reste slawischer und deutscher Burgen

führte zu der Entscheidung, den Befund „in Situ" zu präsentieren. In einem aufwändigen Verfahren wurden die Holz- und Steinkonstruktionen konserviert und mit einer Betonwanne umgeben. Im Innenraum des Foyers sind die Kastenkonstruktionen der slawischen und deutschen Burg zu sehen. Ebenso wurden die Punktfundamente der Burgmauer aus dem 15. Jahrhundert sichtbar gemacht und ein Entlastungsbogen rekonstruiert. Der Befund wird durch eine kleine Ausstellung mit zahlreichen Fundstücken und Erläuterungen zur Baugeschichte vervollständigt.

Ein weiterer archäologischer Befund wurde im nördlichen Teil der Zitadelle, direkt an der Bastion Kronprinz dokumentiert und rekonstruiert. Hier handelt es sich um die ehemalige Hafenanlage der Festung. Ein Kanal durch die Nordkurtine verbindet den Hafen mit der Havel. Von diesem Hafen aus hielt die Besatzung Verbindung mit den vorgelagerten Festungsanlagen, den Ravelinen. Das Hafenbecken war aus Ziegelsteinen gemauert worden und gegen die Verschlammung hatte

Spandauer Zitadelle
Der wiederhergestellte Hafen an der Bastion Kronprinz

man einen Dielenboden aus Eichenbalken gelegt. Auch die Stufen der Treppenanlage war aus Eichenbohlen gefertigt worden, so dass man die Boote unbeschädigt an Land ziehen konnte. Die Hafenmauern waren auf einer Gründung von Kiefernpfählen errichtet worden. Die Anlage wurde bis in die Mitte des 19. Jahrhunderts genutzt und dann verfüllt. In den neunziger Jahren des 20. Jahrhunderts wurde sie ausgegraben und wieder hergestellt.

Im nordöstlichen Teil der Festung befindet sich die Bastion Brandenburg, deren Kassematten auch als italienische Höfe bezeichnet werden. Hier wohnten die Arbeiter, die der Baumeister Rochus Guerini zu Lynar, der ab 1578 den Bau leitete, aus seiner toskanischen Heimat mitbrachte. In diesen Höfen stießen die Archäologen auf die Reste des Wirkens von Lynars Vorgänger, dem venezianischen Kriegsbaumeister Francesco Chiaramella de Gandino, der schon ab 1559 am Bau beteiligt war. Er war seit 1548 im Dienst Kaiser Karls V. und arbeitete später beim Bau der Festungen Wolfenbüttel, Küstrin, Peitz und Dömitz mit. Ihm werden vor allem die beiden südlichen Bastionen „König" und „Königin" sowie der Torbau und das Zeughaus zugeschrieben. Im Zusammenhang mit den Restaurierungsarbeiten an der Bastion Brandenburg konnte nachgewiesen werden, dass auch Chiaramella an diesem Teil der Zitadelle tätig war. Unter den Resten der Punktfundamente fanden sich Kiefernbohlen, deren dendrochronologische Datierung ergab, dass dort die Arbeiten auch schon 1563 begonnen hatten. Dieses Ergebnis zeigt, dass der Baumeister Lynar das Konzept der Festung änderte und er an dieser Stelle die von Chiaramella begonnenen Bauten wieder abreißen ließ.

In der südöstlichen Bastion „Königin" befindet sich in einer kleinen Ausstellung eine Gruppe von Denkmälern, die als einzigartig in Europa bezeichnet werden kann. Es handelt sich um etwa 70 jüdische Grabsteine aus den Jahren 1244 bis 1474. Sie waren in den mittelalterlichen Bauten an verschiedenen Stellen vermauert worden. Ursprünglich stammten sie von den beiden jüdischen Friedhöfen Spandaus, auf denen auch die Berliner Juden bestattet wurden. Die Datierung der

Spandauer Zitadelle
Ausstellung jüdischer Grabsteine in der Bastion Königin

Mauern, in denen die Grabsteine entdeckt wurden, zeigen, dass diese Friedhöfe anscheinend zu verschiedenen Zeiten zerstört worden waren. Die zwischen 8 und 15 Zentner schweren Steine wurden dann in der Burg verbaut. Die mit hebräischen Schriftzeichen versehenen Grabsteine sind ein wichtiger Hinweis auf die jüdische Bevölkerung in den mittelalterlichen Städten Spandau und Berlin. Aufwändige Steinmetzarbeiten zeigen den Reichtum einiger jüdischer Bewohner der Städte, aber ihre Fundorte sind auch ein Hinweis auf das Ende des friedlichen Zusammenlebens der christlichen und jüdischen Bevölkerung im Mittelalter.

In der Bastion Königin wurden auch das Pulvermagazin sowie das Feuerwerkslaboratorium rekonstruiert. Sie sind beide nur nach vorheriger Anmeldung zu besichtigen.
Fon 030/33 46 270

An der Südkurtine befinden sich die freigelegten Grundmauern des ehemaligen Zeughauses. Das im 16. Jahrhundert erbaute Gebäude wurde während der Befreiungskriege zerstört. Kurioserweise waren es preußische Truppen, die ihre eigene, von den Franzosen besetzte Festung belagerten. Bei der Beschießung durch die Preußen wurde das Pulvermagazin getroffen und das Zeughaus flog in die Luft. Erst in den siebziger Jahren des vorigen Jahrhunderts wurden die Fundamente freigelegt und denkmalgerecht konserviert. Unmittelbar daneben steht das Denkmal Albrecht des Bären, der durch Erbschaft seine Herrschaft bis an die Havel erweiterte. Da in der Stadt Brandenburg der Bischof sowie ein kaiserlicher Vogt saßen, erkor der Markgraf Spandau zu seiner wichtigsten Residenz im neuen Land. Das Denkmal gehörte ehemals zur Siegesallee im Berliner Tiergarten, die der brandenburgischen Geschichte huldigte und nach dem Zweiten Weltkrieg aufgelöst und abgeräumt wurde.

Spandauer Zitadelle
Blick am Pulvermagazin vorbei auf den Palas und den Juliusturm

Auf dem Gelände der Zitadelle befindet sich auch das Stadtgeschichtliche Museum Spandau. Zum Museum gehören Ausstellungen im Kommandantenhaus, im neuen Zeughaus und in der ehemaligen Exerzierhalle sowie die Ausstellung der jüdischen Grabsteine und die rekonstruierten archäologischen Befunde im Foyer B. Auch im restaurierten Gotischen Haus in der Altstadt finden Ausstellungen des Museums statt.

Von der Zitadelle gelangt man über die Havelbrücke in Richtung Altstadt Spandau. Die Stadt Spandau entstand gegen Ende des 12., Anfang des 13. Jahrhunderts und wird erstmals im Jahr 1197 erwähnt. Die schnelle Entwicklung Spandaus zeigt ihre wichtige Rolle, die ihr von den askanischen Markgrafen zuerkannt wurde. Erst durch die massive Förderung Berlins verlor Spandau an Bedeutung. Die archäologische Forschung in Spandau begann nach dem Zweiten Weltkrieg, als bei der Neubebauung des alten Marktes zahlreiche Brunnen zu Tage kamen. Baubegleitend – aber auch systematisch – wurden in und um die Altstadt seit 1967 archäologische Forschungen durchgeführt.

## 18 Behnitz

**U 7 Altstadt Spandau**
**Bus X 33, 133 U Altstadt Spandau**

Bevor der Besucher von der Zitadelle kommend in die eigentliche Altstadt einbiegt, lohnt sich ein Abstecher auf den sogenannten Behnitz, nördlich der Straße Am Juliusturm. Der Name erinnert an das ursprünglich mittelalterliche Dorf Behnz, das 1240 der Stadt Spandau zugeschlagen wurde. Schon zu slawischer Zeit befand sich an dieser Stelle ein Dorf. Bei Ausgrabungen im Jahre 1968 an der Nordwand der Marienkirche wurden Siedlungsreste von der Steinzeit bis zur Neuzeit, darunter ein Feldsteinbrunnen, gefunden. Der Brunnen gehörte zu der – in den Jahren 1329 und 1345 urkundlich erwähnten – Curia, einem befestigten Hof, der Sitz eines Adligen war. Durch die Straße Behnitz gelangt man zum Möllentordamm, wo sich im Mittelalter das Mühlentor befand. Eine Brücke führte von hier aus zur Zitadelleninsel. Die heutige Schleuse liegt an der

Behnitz
Die mittelalterliche Stadtmauer Spandaus

Stelle, an der wohl die im Jahre 1232 erbaute Mühle stand, die dem Tor auch den Namen gab. Unmittelbar an den Möllentordamm schließt sich die Straße Hoher Steinweg an, in der noch ein 78 m langes Stück der Spandauer Stadtmauer erhalten geblieben ist. Mit 6 m dürfte sie fast noch die ursprüngliche Höhe besitzen. Die Mauerreste zwischen Am Viktoriaufer und Stephans- und Moritzbrücke wurden aus Abbruchsteinen der Moritzkirche in den zwanziger Jahren des vorigen Jahrhunderts in historisierender Weise nachgebaut.

## 19 Gotisches Haus

**U 7 Altstadt Spandau**
**Bus X 33, 133 U Altstadt Spandau**
**Bus 130 Breite Straße/Markt**

Der Rundgang in der Altstadt sollte in der Breiten Straße beginnen. Die Nummer 32 in dieser Straße wird das Gotische Haus genannt und ist einer der ältesten erhaltenen Profanbauten im brandenburgisch-berlinischen Raum. Das in der Neuzeit häufig umgebaute Gebäude stammt in seinem Kern aus dem 15. Jahrhundert. In den achtziger Jahren des vergangenen Jahrhunderts wurden hier umfangreiche archäologische Untersuchungen durchgeführt. Dabei konnten zwei Vorgängerbauten des 14. Jahrhunderts dokumentiert werden. Das unter dem Ostteil der Parzelle gelegene Haus bestand aus drei Räumen, darunter einem Wohnraum mit Kachelofen und einer Küche mit offenem Herd. Unter dem dritten Raum befand sich ein noch existierendes gemauertes Kellergewölbe. Die Grabung wies weiterhin nach, dass die Stelle schon zu slawischer Zeit genutzt wurde. Die Archäologen fanden eine Räuchergrube für Fisch, die durch die geborgene Keramik in die Zeit um 1000 n. Chr. datiert werden konnte. Wie fast überall im Berliner Raum stießen die Archäologen auch hier auf die Spuren einer bronzezeitlichen Besiedlung. Unter dem Gebäude wurden Pflugspuren aus dieser Zeit gefunden.

Gotisches Haus

Teile des Gebäudes gehören zu den ältesten profanen Bauresten der Region

## 20 Archäologische Keller am Reformationsplatz

**Bus 130 Breite Straße / Markt**

Nur wenige Schritte von der Breiten Straße konnten die Archäologen in der Kammer-/Ecke Fischerstraße sowie am Lindenufer ein wichtiges Detail der Stadtgeschichte klären. Fast alle märkischen Städte waren im Mittelalter mit einer Mauer aus Ziegel oder Feldstein umgeben, wobei angenommen wurde, dass diese Mauern Vorläufer aus Holz hatten. In Spandau gelang erstmals der archäologische Nachweis an den genannten Stellen und es konnte festgestellt werden, dass hier sogar zwei ältere Befestigungen vorhanden waren. Beide Konstruktionen dieser Stadtbefestigungen stammten aus dem 13. Jahrhundert. Es waren Erde-Holzkonstruktion, die im Fundament eine Breite von drei Metern erreichten. Vor dieser Anlage befand sich ein Spitzgraben. Die bis jetzt an verschiedenen Stellen der Altstadt entdeckten Reste dieser Wallanlagen lassen erkennen, dass die Stadt in ihrer Entstehungszeit kleiner war als die heutige Altstadt.

Eine wichtige Station bei einem Rundgang ist der archäologische Keller am Reformationsplatz 3-4. Bevor diese Grundstücke bebaut wurden, erhielten die Berliner Archäologen 1981

REFORMATIONSPLATZ
Mehrere Schichten des ehemaligen Friedhofs an der Nikolaikirche

die Möglichkeit, hier eine Ausgrabung durchzuführen. Sie stießen auf die Fundamente eines länglichen, 6-7 m breiten Gebäudes. Es erstreckte sich entlang der Mönchstraße und hatte eine Länge von über 30 m. Die Fundamente bestanden aus zum Teil behauenen Feldsteinen, das aufgehende Mauerwerk aus Ziegelsteinen im sogenannten Klosterformat. Das Gebäude stammte aus der Zeit vor 1240 und gehörte zu einem Dominikanerkloster, dessen Grundstücke in späterer Zeit in den Besitz der Stadt übergingen. Unter den Fundamenten fanden sich weit über 500 Gräber aus der Frühzeit der Stadt. Sie gehörten zum Friedhof der Nikolaikirche. Die ältesten Gräber stammten aus der zweiten Hälfte des 12. Jahrhunderts. Einige der Toten hatten Schläfenringe, die sie eindeutig als Slawen ausweisen. Dieser Befund wurde in einem musealen Geschoss konserviert, das von der Straße aus einsehbar ist und nach vorheriger Anmeldung auch betreten werden kann. Anmeldung unter Spandau Information Fon 030/33 39 388 oder Förderverein Fon 030/13 34 62 70

Direkt gegenüber dem archäologischen Keller, in der Carl-Schurz-Strasse 49, wurde ein weiterer Keller entdeckt. Es handelt sich um die Reste eines ehemaligen Patrizierhauses aus dem 15. Jahrhundert. Es wurde Mauerwerk aus den verschiedenen Jahrhunderten freigelegt und konserviert. Nachweislich besaß der Spandauer Patrizier Claus Hönow das Grundstück

REFORMATIONSPLATZ
Fundamente des Patrizierhauses

von 1464 bis 1478. Ab dem Jahre 1735 bewohnten es die in der Spandauer Garnison stationierten Regimentskommandeure. In den restaurierten Kellern ist eine ständige Ausstellung zur Baugeschichte Spandaus zu sehen. Nach vorheriger Anmeldung bei der Spandauer Information Fon 030/33 39 388 können die Räume besichtigt werden.

## 21 Spandau Arkaden

**U 7 Rathaus Spandau**
**S 5, 75 Spandau**

Südlich der Altstadt, an der Klosterstraße, dort wo sich heute die Spandauer Arkaden befinden, wurde um das Jahr 1688 ein Friedhof angelegt. In verschiedenen Quellen wird er als der „gemeine Kirchhof", „Kirchhof vor dem Klostertore", Soldatenfriedhof oder „combinierte Kirchhoff" bezeichnet. Dieser Friedhof wurde bis 1796 genutzt. Bevor die Arkaden gebaut wurden, konnten die Berliner Archäologen diesen ehemaligen Friedhof untersuchen. Insgesamt wurden 221 Bestattungen geborgen, die teilweise sehr dicht angelegt worden waren. Die untersuchten Skelette zeigten eine hohe Kindersterblichkeit. Naturgemäß war durch die Anwesenheit der Armee in Spandau auch die Anzahl der hier begrabenen Männer höher als die der Frauen.

## 22 Spandauer Burgwall

**Bus 131, 134, 135, 137, 331, 638, 639 Ziegelhof**
**Bus 235 Götelstraße**

Etwa 1km südlich der Altstadt befindet sich der Spandauer Burgwall. Die gleichnamige Straße lenkt den Besucher sicher an das Ziel. Seit den fünfziger Jahren des vorigen Jahrhunderts wurden intensive Forschungen auf dem Burgwall betrieben. Die Ausgräber wiesen insgesamt acht übereinanderliegende und zeitlich auf einander folgende Bauphasen nach, die vom 8. bis ins 13. Jahrhundert reichten. Neben der Burg entwickelte sich eine Burgsiedlung mit vorstädtischem Charakter. Die Burg hatte die strategische Aufgabe, das Mündungsgebiet der Spree in die Havel zu überwachen und damit auch einen

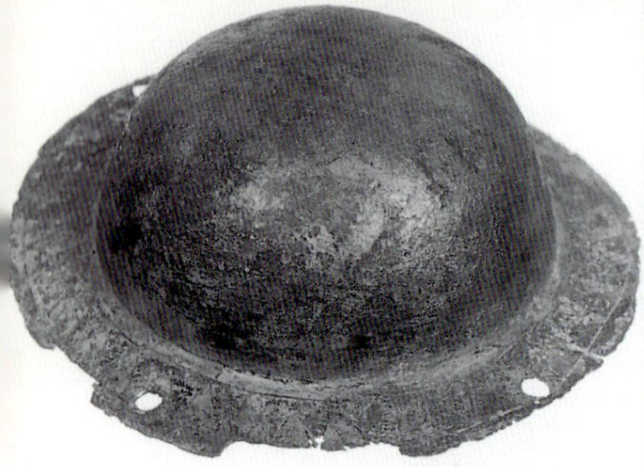

Spandauer Burgwall
Vergoldeter Schildbuckel (links) und ein Spielstein mit der Darstellung eines balzenden Vogels

wichtigen Teil den Ost-West Handelsstraße. Neben der Brandenburg war Spandau die wichtigste Burg des slawischen Hevellervolkes. Spandau entwickelte sich zu einem Knotenpunkt im internationalen Fernhandel. Neben der verkehrsgünstigen Lage an der Havel konnten die Händler hier auch den Fluss trockenen Fußes überqueren und in Richtung Osten oder Westen weiter reisen. Der heutige Flussverlauf täuscht darüber hinweg, dass es vor 1000 Jahren an dieser Stelle mehrere Wasserläufe gab. An der Ecke Krowel-/Spandauer Burgwall verlief beispielsweise der westlichste Arm der Havel. Der Burgwall wurde auf einer der Talsandinseln errichtet. Die Burgen wurde ausschließlich in Erde-Holz Konstruktion erbaut, wobei sich ihr Aussehen im Verlauf der Jahrhunderte immer wieder änderte. Eines der interessantesten Ergebnisse war, dass hier im 10 Jahrhundert die deutschen Eroberer auf den Trümmern der slawischen eine deutsche Burg errichteten. Sie wurde bei dem großen Slawenaufstand von 983 zerstört. Im Verlauf des 12. Jahrhunderts schwand die Bedeutung dieses Burgwalles. Die Einwohner wurden allmählich in die neu gegründete Stadt Spandau umgesiedelt. Zahlreiche Funde, darunter viele Importe, aber auch vergoldete Reitersporen und Schildbuckel, unterstreichen die besondere Rolle dieser Burg.

## KÖPENICK

Köpenick ist der vierte mittelalterliche Stadtkern, aus dem im Jahr 1920 die Großstadt Berlin entstand. Wie Berlin/Cölln und Spandau entstand auch Köpenick auf einer Flussinsel, hier am Zusammenfluss von Dahme und Spree. Die Stadt wird erstmals im Jahr 1209 erwähnt, erlangte selbst aber nie die Bedeutung der anderen Kommunen und besaß auch keine Stadtmauer. Die Bedeutung Köpenicks lag vor allem in der Existenz der Burg und später des Schlosses. In slawischer Zeit war sie der Mittelpunkt und Fürstensitz der Sprewanen, die

KÖPENICK
So könnte die mittelalterliche Burg ausgesehen haben

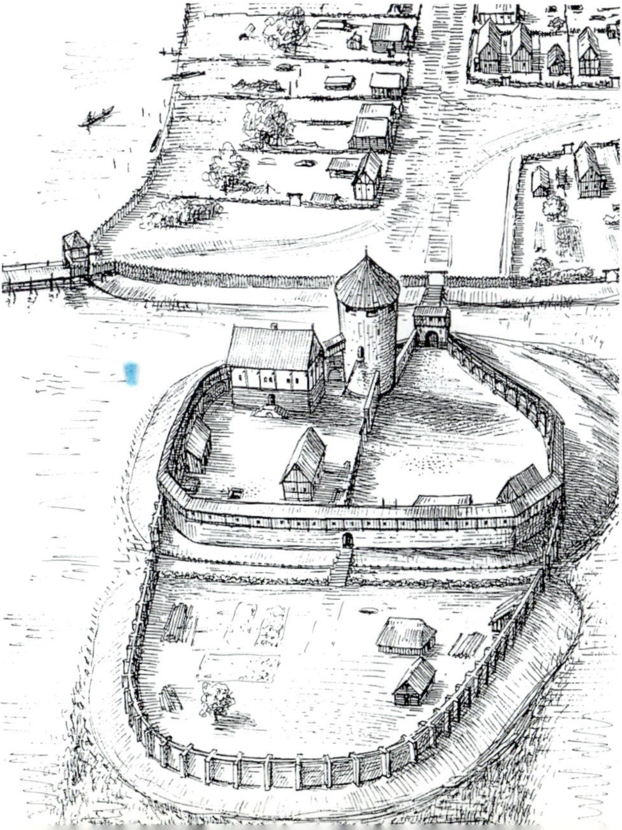

nördlich und südlich der Spree siedelten. Im 12. Jahrhundert residierte hier der hartnäckigste Gegner Albrecht des Bären: Jaxa von Köpenick. Sein Konterfei ziert mehrere Münzen. Im letzten Drittel des 12. Jahrhunderts eroberten die Meißner Markgrafen Köpenick, aber spätestens 1245 war der Ort in brandenburgischer Hand. Das heutige Aussehen der Schloss- und Altstadtinsel ist das Ergebnis intensiver Eingriffe durch Menschenhand. Schon zu slawischer Zeit wurde die Schlossinsel durch die Anlage eines Grabens abgetrennt. In den vergangenen Jahrhunderten verband man die anderen Inseln durch Aufschüttung miteinander. Straßen wie die Freiheit und der Katzengraben entstanden erst im 18. Jahrhundert ebenfalls durch Aufschüttung.

## 23 Schloss Köpenick/Alt-Köpenick

**Bus 167, 169, 360 Schlossplatz Köpenick**
**Tram 26, 60, 63, 67, 68 Schlossplatz Köpenick**

Das Schloss auf der Köpenicker Schlossinsel gilt als der bedeutendste noch erhaltene Profanbau der Vor-Schlüter-Zeit in der Mark Brandenburg. Doch die Geschichte der Insel begann weit vor dem Bau des Schlosses. Seit mehr als hundert Jahren erforschen Archäologen dieses Areal. Die – auch strategisch – günstige Lage Köpenicks lockte seit dem Ende der letzten Eiszeit immer wieder Siedler auf die Insel. Bei den Ausgrabungen fanden die Archäologen ein jungsteinzeitliches Hockergrab und die Reste der Befestigung aus der Bronzezeit. Die seit dem 6. Jahrhundert eingewanderten Slawen errichteten wahrscheinlich im 8. Jahrhundert hier eine Burg. Die Anlage brannte mehrmals ab und im 11. Jahrhundert entstand eine Fürstenburg von erheblichen Ausmaßen. Der Großteil der auf dem südlichen Teil der Insel gelegenen slawischen Burg liegt heute im Wasser. Durch den Bau des Mühlendammes in Berlin war im Mittelalter der Wasserspiegel der Spree und ihrer Zuflüsse erheblich angestiegen. Hinweise auf die Bebauung nach der deutschen Eroberung fanden sich nur spärlich. Bei diesen Ausgrabungen wurden die Fundamente des geplanten, aber nie ausgeführten Gartenflügels gefunden, der das heutige Schloss mit der Kapelle verbinden sollte. Reste des 1558 im Renaissancestil erbauten Jagdschlosses des Kurfürsten Joachim II. wurden

Schloss Köpenick
Fundamente des Jagdschlosses von Kurfürst Joachim II.

ebenfalls entdeckt. Die Fundamente eines der Türme der Renaissanceanlage sind in den Schlosskellern zu sehen.

Direkt vor der Schlossbrücke befindet sich die Straße Alt-Köpenick, die Keimzelle der Stadt Köpenick. Hier und in der Grünstraße wurden im Vorfeld von Neubauten Ausgrabungen durchgeführt. Während in Alt-Köpenick 38 nur eine kleine Fläche untersucht wurde, konnte in den Nummern 17-19 die gesamte Fläche vor der Errichtung eines Wohn- und Geschäftshauses archäologisch erforscht werden. Hier dokumentierten die Archäologen die Reste von fünf aufeinander folgenden Bauten, von denen die beiden ersten reine Holzbauten – sogenannte Ständerbohlenbauten – waren. Der älteste Bau hatte

Alt Köpenick
Archäologen bei der Arbeit – ein Überblick über das Grabungsgelände

eine Ausdehnung von 5 x 5 m und konnte durch die dendrochronologische Messung in die Zeit um 1200 datiert werden. Schon um 1215 erfolgte ein Neubau und die Erweiterung auf 7 x 8 m. Der steigende Grundwasserspiegel zwang die Besitzer des Grundstückes um 1250 nochmals zu einem erneuten Neubau. Weitere Bauten folgten im 14. Jahrhundert. In unmittelbarer Nachbarschaft zum Haus fand sich eine große, fast 9 m lange Arbeitsgrube. Zahlreiche Metallfunde aus dieser Grube und in der unmittelbaren Umgebung, wie Sporen und Zubehör des Pferdegeschirrs, lassen den Schluss zu, dass sich hier die Werkstatt eines Zaumzeugmachers befand. Der Fund einer Klappwaage spricht auch für die Möglichkeit, dass das Haus auch von einem Händler genutzt wurde. Unter diesen Befunden entdeckten die Ausgräber auch Siedlungsspuren aus der Slawen- und Bronzezeit. Wichtigstes Ergebnis dieser Rettungsgrabung war die Erkenntnis, dass die Altstadtinsel schon in voraskanischer Zeit von den wettinischen Markgrafen gezielt besiedelt wurde.

Auch in der Grünstraße 18/19 entdeckten die Archäologen Reste eines Hauskellers aus dem 13. Jahrhundert. Auf dem Hofgelände wurden mehrere gut erhaltene Brunnen ausgegraben. Der älteste Brunnen konnte in die zweite Hälfte des 13. Jahrhunderts datiert werden. Die Ausgräber fanden eine große Menge Gebrauchsgegenstände der mittelalterlichen Bewohner Köpenicks. Dazu gehören Reitersporen und Gürtelschnallen sowie Schlüssel und zwei Silbermünzen aus dem 13. Jahrhundert. Interessant sind mehrere mit Blei ausgefüllte Zehenknochen vom Rind. Wahrscheinlich handelt es sich um Teile eines Kegelspiels.

GRÜNSTRASSE

Einer von mehreren der hier gefundenen Brunnen

Von der Grünstraße gelangt man über die Jägerstraße zum Alten Markt 2, wo sich das Heimatmuseum Köpenick befindet. In dem frisch restaurierten Fachwerkbau aus dem 18. Jahrhundert informiert eine gut gestaltete Ausstellung über die Geschichte Köpenicks. Ein Schwerpunkt ist die Ur- und Frühgeschichte mit Neufunden aus den Ausgrabungen der letzten Jahre. Unter vielen anderen werden auch konservierte Balken aus einem der in der Straße Alt-Köpenick gefundenen Häuser gezeigt.

Ein Rundgang durch Alt-Köpenick sollte nicht ohne einen Blick in den Kietz enden. Er liegt südöstlich der Altstadt. Archäologische Arbeiten fanden in dieser kleinen Straße nicht statt, jedoch lohnt sich ein Blick auf die restaurierten Häuser. Kieze waren ursprünglich Dienstsiedlungen, anfänglich meist mit slawischen Bewohnern, die zu den örtlichen Burgen gehörten. Sie entstanden überall in den von den Deutschen kolonisierten slawischen Gebieten. Im Jahr 1881 wurde beim Abriss eines alten Fischerhauses im Kiez 28 ein Münzschatz gefunden, der eine Reihe mittelalterlicher Münzen aus dem Beginn des 14. Jahrhunderts enthielt.

## 24 Spindlersfeld

**S 85, 86, Spindlersfeld**
**Bus 167 S Spindlersfeld**
**Tram 60, 63 S Spindlersfeld**

Gegenüber der Altstadtinsel Köpenick liegt der Ortsteil Spindlersfeld. Hier – im nördlichen Bereich des Ernst-Grube-Parks, in unmittelbarer Nähe der Spree – wurde im Frühjahr 1892 auf dem Gelände der damaligen Färberei Spindler ein Hortfund aus 38 Einzelstücken entdeckt. Auffällig sind die zahlreichen Schmuckteile in Lanzett- und Herzform sowie radförmige Anhänger, die als religiöse Symbole gedeutet werden. Zweifellos sind die wichtigsten Bestandteile dieses Depotfundes die beiden Hälften einer Gussform aus Metall. Sie diente zur Herstellung von Bronzenadeln, von denen ein Teilstück ebenfalls bei dem Fund lag. Der bei dem Hort befindliche Bronzebruch lässt vermuten, dass hier ein Bronzegießer sein Material

SPINDLERSFELD

Sicher einer der spektakulärsten bronzezeitlichen Hortfunde

versteckt hatte. Der Fund wird um 1200 v.Chr. datiert und eine Fibel, deren Form hier erstmals auftrat, erhielt den Namen Spindlersfelder Fibel. Die archäologische Forschung konnte im vergangenen Jahrhundert in Berlin und Umgebung eine eigenständige bronzezeitliche Kultur herausarbeiten, die den Namen Spindlersfelder Gruppe erhielt.

## DIE FLÜSSE –
## VERBINDENDE LEBENSADERN DURCH JAHRTAUSENDE

### HAVELWEG *75*



### AM TEGELER FLIESS *82*



### AN DER PANKE *90*

# HAVELWEG

Archäologische Forschungen erstrecken sich nicht nur auf die mittelalterlichen Zentren Berlins. Vor allem entlang der Flüsse, die schon immer wichtige Handelswege waren, finden sich zahlreiche Fundstellen aus ur- und frühgeschichtlicher Zeit. Flüsse waren aber auch Hindernisse, die überwunden werden mussten und einige Funde deuten auf Furten und Übergänge hin. Die Havel ist neben der Spree die wichtigste Wasserstraße Berlins. Teilweise erreicht sie im Berliner Raum eine erhebliche Breite. An ihren Ufern finden sich viele Plätze aus vergangenen Zeiten.

## 25 Stresow

**S 5, 75 Stresow**
**Bus 145 Grenadierstraße**
**Bus 130 Stresowplatz**

Gegenüber der Altstadt Spandau, südlich der Zitadelle, fanden im Jahre 1881 „auf dem Stresow", heute Grunewaldstraße 6-7, Ausschachtungsarbeiten für ein Pulvermagazin statt. Hier befand man sich im alten Mündungsdelta der Spree in die Havel. Aus der Fundamentgrube wurden zahlreiche Funde geborgen, die zwischen Pfahlgründungen gelegen haben sollen. Das Fundgut erstreckte sich von neolithischen Steinbeilen, Knochen- und Geweihgeräten, Tier- und Menschenresten, steinernen Kanonenkugeln bis zu mittelalterlichen Scherben. Wichtigster Fund war der aus einer „schwarzen Schlammschicht" geborgene Hortfund, bestehend aus 19 Einzelteilen. Es handelt sich fast ausschließlich um Waffen: vier Schwerter, fünf Dolche, sechs Beile und zwei Lanzenspitzen sowie ein Keulenkopf und ein nicht zu deutendes Gerät. Die Zusammensetzung und Datierung dieses Fundes weist in die Richtung einer kultischen Niederlegung. Zwei Schwerter stammen aus dem süddeutschen Raum, während der Rest des Fundes in den bronzezeitlichen Kulturbereich des Nordischen Kreises (Norddeutschland und Skandinavien) gehört. Auch scheinen die Waffen zu unterschiedliche Zeiten in den ehemaligen Flussarm gelangt zu sein.

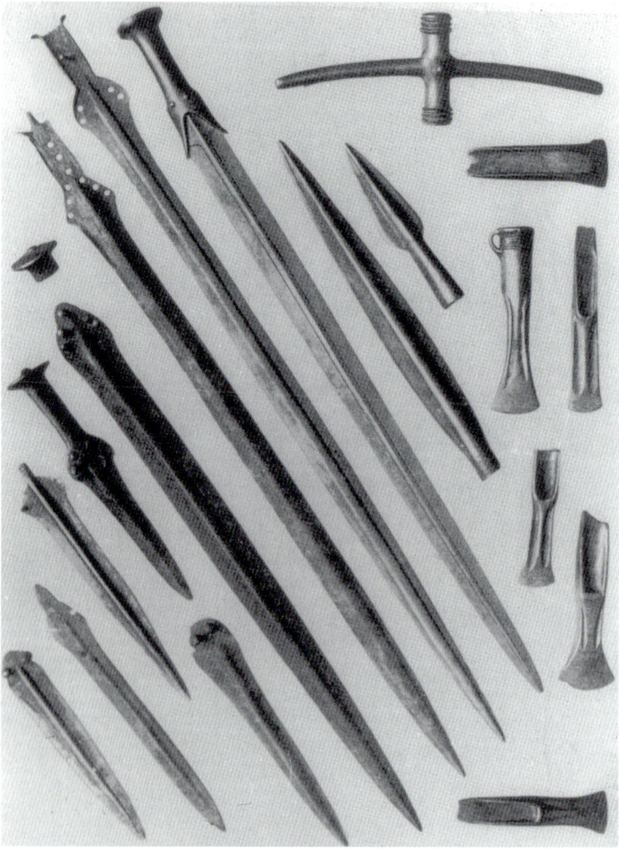

Stresow

In einem ehemaligen Spreearm niedergelegter Waffenhort

So besteht die Möglichkeit, dass hier in urgeschichtlicher Zeit ein Flussübergang war und die Händler ihren Göttern für eine glückliche Weiterfahrt opferten. Leider ging der Fund nach 1945 verloren. Das Museum für Vor- und Frühgeschichte besitzt allerdings Nachbildungen dieser Waffen.

## 26 Pichelswerder Halbinsel

**Bus X 34, X 49, 149 Pichelswerder**

Ebenfalls zum ehemaligen Mündungsdelta der Spree in die Havel gehört das Gebiet der Pichelswerder Halbinsel, südlich der Heerstraße. Funde aus allen Abschnitten der Berliner Ur- und Frühgeschichte zeigen, dass diese Stelle seit alters her als einer der Havelübergänge genutzt wurde, anscheinend auch militärisch, wie der Name „Heerstraße" hinweist. Waffenfunde wie ein bronzezeitlicher Dolch, eine völkerwandlungszeitliche Spatha und ein Zweihandschwert aus dem 14. Jahrhundert unterstreichen diese Vermutung. Bei einem Spaziergang lassen sich im bewaldeten Gelände des Pichelswerders die Überbleibsel eines Burgwalles entdecken. Obwohl hier keine Ausgrabungen stattfanden, weisen die Funde – wie Keramik, aber auch Gürtelschnallen und andere Gebrauchsgegenstände – auf die Nutzung des Walles durch die Slawen und in der Bronzezeit hin. Das mittelalterliche Zweihandschwert wurde mitten im Stößensee, wahrscheinlich einer der ehemaligen Mündungsarme der Spree, gefunden. Es kann angenommen werden, dass sich hier eine Fähre befand.

Aus dem großen Gebiet des Grunewalds sind zahlreiche Fundstellen, vorrangig aus dem Neolithikum, bekannt. Die Schwerpunkte dieser Fundstellen befinden sich entlang der Grunewaldseen, des Teufelssees und in Havelnähe. Aber auch in späterer Zeit lebten hier Menschen, so an der Lieper Bucht, wo beim Umbau der Havelchaussee Siedlungsreste aus der vorrömischen Eisenzeit und der römischen Kaiserzeit gefunden wurden.

## 27 Dachsberg

**Bus 218 Havelweg**

Nur wenige Schritte von der Havelchaussee entfernt liegt der sogenannte Dachsberg. Direkt nördlich des Weges, der über die Höhe des Berges auf die Rettungsstation Kuhhorn verläuft, liegt nur wenige Meter vor dem Steilufer ein Fundplatz der neolithischen Kugelamphorenkultur. Im März 1955 wurde bei

Ausschachtungsarbeiten ein Grab dieser Kultur, bestehend aus Gefäßresten und zwei Feuersteinbeilen, entdeckt. Da aus dieser Zeit fast keine Siedlungen bekannt sind, waren die Bodendenkmalpfleger überrascht, in unmittelbarer Nachbarschaft zu diesem Grab auf derartige Spuren zu stoßen. Neben zwei Herdstellen fanden sich zahlreiche Feuersteinabschläge und Keramik. Diese Siedlungsspuren waren ein wichtiger Befund, da man bis heute davon ausgeht, dass die Menschen der Kugelamphorenkultur Nomaden waren. Sie hinterließen überall in Europa zwar ihre Gräber, aber es sind nur wenige Siedlungen bekannt.

## 28 Schildhorn

**Bus 218 Schildhorn**

Nördlich des Dachsberges befindet sich die Halbinsel Schildhorn. Funde wie ein neolithisches Steinbeil und slawische Keramik zeigen, dass die herrliche Lage der Halbinsel nicht nur heute Menschen anlockt. Das Denkmal auf der Insel erinnert an einen Vorfall, der in der brandenburgischen Geschichte eine entscheidende Wende markiert. Nach dem Albrecht der Bär das Havelland 1150 geerbt und mit der Hauptburg Brandenburg besetzt hatte, machte es ihm der in Köpenick lebende Sprewanenfürst Jaxa streitig und eroberte Brandenburg. Erst 1157 konnte Albrecht Jaxa schlagen und ihn vertreiben. Bei seiner Flucht soll sich der Slawenfürst in die Havel gestürzt und am heutigen Schildhorn das rettende Ufer erreicht haben. Als Dank für seine Rettung hängte Jaxa sein Schild an einen Baum und entsagte seinen heidnischen Göttern. Die Form des Denkmals mit dem angehängten Schild erinnert an das Ereignis.

## 29 Pfaueninsel/Kunkelwiese

**Bus 216, 316 Pfaueninsel**
**Die Insel ist über eine Fähre zu erreichen.**

Im Sommer ist die Insel von 8 bis 20 Uhr geöffnet, zu den anderen Jahreszeiten sind die Öffnungszeiten eingeschränkt. Die Pfaueninsel mit ihrem romantischen Schloss und dem Park ist wohl Berlins bekannteste Insel und vor allem ein Besuchermagnet. Weniger bekannt ist, dass von dieser Insel zwei der

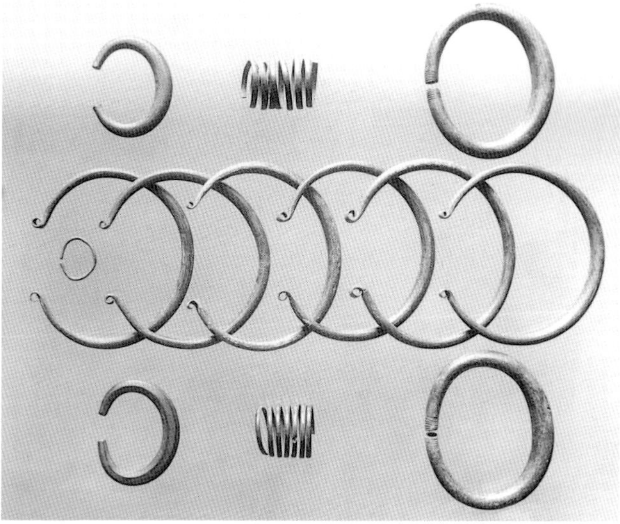

Pfaueninsel
Bereits 1837 wurde dieser Bronzeschmuck entdeckt

wichtigsten bronzezeitlichen Hortfunde der Berliner Gegend stammen. Im Jahr 1837 stießen Erdarbeiter bei Terrassierarbeiten auf einer kleinen Anhöhe auf die Reste eines verfaulten Holzkastens. Die Arbeiter bargen zehn Bronzeringe und zwei Spiralbänder, die der frühbronzezeitlichen Aunjetitzer Kultur zugeordnet wurden. Da der Fund auf königlichem Besitz erfolgte, gelangten die Bronzen in das „Königlich-preußische Museum für vaterländische Alterthümer", aus dem das heutige Museum für Vor- und Frühgeschichte in Berlin hervor ging. Leider ist dieser Fund, wie so viele andere, seit dem Zweiten Weltkrieges verschollen. 1843 kam ein weiterer bronzener Hortfund zu Tage, bestehend aus vier Hohlwulstringen. Zahlreiche Funde von der Pfaueninsel zeigen, dass sie von der Mittelsteinzeit bis zum Ende der Bronzezeit bewohnt war.

Im Nordosten der Pfaueninsel befindet sich die so genannte Kunkelwiese. Am Uferweg, der am Rand der Wiese verläuft,

Pfaueninsel
Der zweite Hortfund, diesmal mit vier Hohlwulstringen

befindet sich ein Gedenkstein für Johann Kunkel (1638-1703), der im Jahr 1685 Besitzer der damals noch Kaninchenwerder bezeichneten Insel wurde. Im Auftrag des Großen Kurfürsten sollte er hier in einem eigenen Glaslaboratorium Forschungen betreiben. Nach dem Tod des Kurfürsten kam es zu Streitigkeiten mit dem Nachfolger und nach einer Brandstiftung in seinem Labor floh Kunkel, den man in seiner Zeit als Alchimisten bezeichnete, außer Landes. Bei einer Ausgrabung in den Jahren

1973/74 fanden sich auf der Kunkelwiese die Fundamente des Laboratoriums, eines Ofens und die Reste der Wirtschaftsgebäude. Große Mengen an Glas bestätigen die Forschungen, die Johann Kunkel hier betrieb.

## 30 Groß-Glienicker See

**Bus 135 Kurpromenade**

Westlich der Havel befindet sich direkt an der Grenze zum Land Brandenburg der Groß-Glienicker See. 1976 fand ein Sporttaucher im nördlichen Teil des Sees, etwa 40 m vom Ufer entfernt, ein vollständiges bronzezeitliches Gefäß. In Zusammenarbeit mit Mitarbeitern des damaligen Archäologischen Landesamtes bargen die Taucher in der Folgezeit etwa zwanzig Gefäße und eine größere Anzahl Knochen, die vom Rind, Schwein, Ziege, Schaf und Pferd, aber auch vom Hirsch und Fuchs stammten. Die Keramik besteht, bis auf zwei Gefäße, ausschließlich aus Kannen, zum Teil verziert und mit Henkeln. Es kann kein Zweifel daran bestehen, dass es sich hier um einen jungbronzezeitlichen Opferplatz handelte. Dieser Platz gehört zu der Siedlung, die sich auf dem westlichen Ufer zwischen Storchenstraße und Uferpromenade befand.

GROSS-GLIENICKER SEE
Opfergefäße aus dem See

# AM TEGELER FLIESS

Im Norden Berlins befindet sich das Tegeler Fließ. Der kleine Fluss ist während der letzten Eiszeit entstanden. Seit dieser Zeit war er immer wieder Ziel von Einwanderern, die an seinen Ufern ihre Spuren hinterließen. Teilweise ist die Niederung des Fließes in seinem ursprünglichen Zustand belassen und als Wander- und Fahrradweg ausgewiesen. Der Wanderer kann teilweise den Eindruck gewinnen, sich in einem von Menschenhand noch nie berührten Gebiet zu befinden. Zu beiden Seiten des Tegeler Fließes befinden sich zahlreiche Fundstellen, vor allem der Steinzeit, aber auch der Bronzezeit und der vorrömischen Eisenzeit.

## 31 Gartenkolonie Schildow-Waldeck

**Bus 107 Kleingartenanlage Mariental**

Der Berliner Teil der B 96a endet im Ortsteil Blankenfelde direkt am Tegeler Fließ. Hier befinden sich ausgedehnte Kleingartenanlagen und Vorstadtsiedlungen. Innerhalb der östlich der Straße gelegenen Gartenkolonie Schildow-Waldeck sind Reste eines Burgwalles zu finden. Bei der Anlage der Kolonie Anfang des 20. Jahrhunderts hatten, neben einigen Lehrern und ihren Schülern, auch Berliner Archäologen die Arbeiten beobachtet und Funde geborgen. Der Burgwall liegt direkt am Steilhang zum Fließ und ist trotz der dichten Bebauung mit Kleingärten im Gelände noch zu erkennen. Besonders nach starken Regengüssen findet sich auf den Sandwegen immer wieder Keramik. Die Streuung der Funde zeigt, dass man mit einer Vorburgsiedlung bis auf das westlich der B 96 liegende Gelände der Siedlung Mariental rechnen kann. Hier läuft das Gelände in eine sumpfige Niederung des Tegeler Fließes aus.

## 32 Arkenberger Grund

**Bus 107 Arkenberge**

Nordöstlich der Siedlung Mariental befindet sich direkt entlang des Fließes ein Naturschutzgebiet und die Siedlung

Arkenberger Grund. Leider wird die schöne Lage der Siedlung durch eine große Müllkippe beeinträchtigt, die auch urgeschichtliche Fundplätze überdeckt. In den dreißiger Jahren wurde hier ein Gräberfeld der vorrömischen Eisenzeit mit 188 Gräbern ausgegraben. Die Toten waren verbrannt und mit reichen Beigaben beigesetzt worden. Von diesem Gräberfeld stammen viele Schmuckstücke, aber auch Waffen. Das Gebiet um Arkenberge war nicht nur bei den frühen Germanen beliebt. Mehrere Funde römischer Münzen aber auch Steinbeile zeigen, dass hier seit Jahrtausenden gesiedelt wurde.

## 33 Hermsdorf/Heimatmuseum Reinickendorf
**Bus 225 N20 Almutstraße**

Eines der Dörfer, die direkt am Tegeler Fließ angelegt wurden, ist Hermsdorf. Bis auf wenige Neubauten ist der dörfliche Charakter fast vollständig erhalten. Das als Hermanstorp 1349 erstmals erwähnte Dorf ist eines der ältesten nördlich der Spree. In den achtziger Jahren des 20. Jahrhunderts wurde der ehemalige Friedhof ausgegraben. Die heutige Kirche ist nicht der ursprüngliche Standort des Gotteshauses. Dieses lag weiter östlich auf dem Dorfplatz und war in der Mitte des 18. Jahrhunderts abgerissen worden. Der alte Friedhof wurde bis in das Jahr 1875 genutzt. Bei der Ausgrabung konnte festgestellt werden, dass die abgerissene Kirche in der zweiten Hälfte des 16. Jahrhunderts als Fachwerkbau errichtet wurde und einen reinen Holzbau als Vorgängerbau besaß. Die um diese Kirche angelegten Gräber reichten bis in den Beginn des 13. Jahrhunderts zurück. Einige Gräber wiesen noch heidnisches Brauchtum auf, so Münzbeigaben. Zwei Skelette waren auch entgegen dem christlichen Brauch mit dem Kopf nach Westen ausgerichtet. Der Ausgräber geht von der Möglichkeit aus, dass die ersten Bewohner Hermsdorfs Slawen gewesen sein könnten. Eine weitere Ausgrabung fand vor der Bebauung des Grundstückes Alt-Hermsdorf 9 statt, wo die Archäologen Reste der Bebauung vom Mittelalter bis in die Neuzeit fanden.

Hermsdorf
Mittelalterliche und neuzeitliche Fundamente

Bevor man Hermsdorf wieder verlässt, sollte ein Besuch des Heimatmuseums Reinickendorf nicht fehlen. Es hat seinen Sitz im alten Schulgebäude, Alt-Hermsdorf 35. Ein Schwerpunkt der Ausstellung ist die Ur- und Frühgeschichte des Bezirkes Reinickendorf, insbesondere die Steinzeit. Modelle und Rekonstruktionen in Originalgröße zeigen Grabungsergebnisse vom Tegeler Fließ, wo ein Lager mesolithischer Jäger ausgegraben wurde. Auf dem Hof des Museums findet der Besucher den Nachbau eines germanischen Gehöftes aus der römischen Kaiserzeit. Es besteht aus einem Wohnstallhaus, einem Grubenhaus sowie einem Speicherbau. Dieses Ensemble wurde nach Grabungsergebnissen im Berliner Gebiet rekonstruiert. Im Wohnstallhaus kann man sich über die Lebensverhältnisse der Germanen vor zweitausend Jahren informieren.

Von Hermsdorf führt entlang des Tegeler Fließes ein Wanderweg in Richtung Tegel. Teilweise führt der Weg durch ein breites Fließtal, mit riesigen Eichen und Schilf bewachsenen Ufern. Hier befinden sich urgeschichtliche Fundplätze.

HERMSDORF

Zum rekonstruierten germanischen Gehöft im Heimatmuseum Reinickendorf gehört auch dieser Speicher

## 34 Steinbergpark
### Bus 222 Waldhornstraße

Leicht südlich des Tegeler Fließes, am Waidmannsluster Damm, liegt der Steinbergpark. In diesem Waldpark befindet sich, etwas versteckt auf einem kleinen Hügel, ein Großsteingrab. Es handelt sich allerdings um eine Rekonstruktion aus dem Jahr 1936. Trotzdem ist dieser Nachbau für den interessierten Besucher ein gutes Anschauungsstück. Dieses – auch als Dolmen bezeichnete – Grab stellt einen frühen Vertreter seiner Art dar. Es wurde später durch die größeren Ganggräber abgelöst. Vom Berliner Gebiet sind originale Großsteingräber nicht bekannt. Trotzdem wird die Meinung vertreten, dass solche Megalithgräber in unserem Raum ursprünglich vorhanden waren, weil die neolithische Kultur, für die solche Gräber typisch sind, auch in Berlin vertreten ist. Auf dem Gelände des Steinbergparks befindet sich auch ein Fundplatz einer Siedlung der vorrömischen Eisenzeit. Schon vor dem Zweiten Weltkrieg fanden in den umliegenden Grundstücken Notbergungen statt. In dem See des Waldparks wurde beim Ausbaggern ein hölzerner Hakenpflug gefunden.

STEINBERGPARK
Links der beim Ausbaggern des Sees entdeckte Hakenpflug

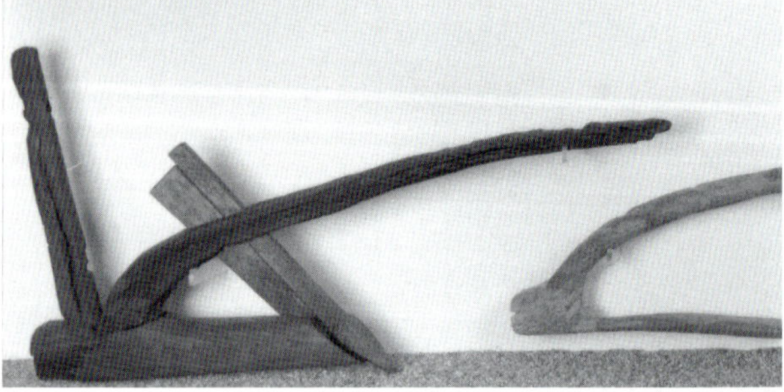

## 35 Friedhof am Fließtal

**Bus 222 Titusweg**
**Bus 125 Am Tegeler Fließ**

Ein steinzeitlicher Fundplatz am Tegeler Fließ wurde um das Jahr 1970 gefunden. Die Ausgrabung auf dem heutigen Friedhof am Fließtal brachte einen Einblick in die Lebensweise der steinzeitlichen Jäger und Sammler, die hier vor fast zehntausend Jahren lebten und an einer Furt ihr Saisonlager aufschlugen, wo sie den Rentierherden auflauerten. Die Jäger der sogenannten „Ahrensburger Gruppe" (der Name stammt von einem Fundplatz in Holstein) hinterließen zahlreiche Feuersteingeräte wie Messer, Schaber und Stichel, die den Fundplatz in das Spätpaläolithikum (ausgehende Altsteinzeit) datiert. Es sind die ältesten menschlichen Spuren im Berliner Raum. Die Ausgräber konnten die Grundrisse von Zelten oder Hütten nachweisen und es gilt als sicher, dass die Jäger diesen Platz nicht ständig bewohnten, sondern ihn nur zeitweise aufsuchten. Zur Lagerung der Jagdbeute trieben die Nomaden in den Dauerfrostboden Gruben, die bis zu 2,80 m tief waren. Die Vegetation zu dieser Zeit war tundrenartig geprägt und jagdbares Wild war vor allem Zugwild.

Tegeler Fliess
Ein steinzeitlicher Jäger lauert seiner Beute auf

## 36 Brücke Tegeler Fließ
**Bus 222 Titusweg**
**Bus 125 Am Tegeler Fließ**

Zwei weitere steinzeitliche Fundplätze befinden sich nördlich und südlich der Brücke, die in Verlängerung des Titusweges über das Tegeler Fließ führt. Die hier gefundenen Feuersteinreste verweisen diese Fundplätze in die Mittelsteinzeit, das Mesolithikum. Diese Fundplätze sind zeitlich wesentlich später als der benachbarte ausgegrabene Lagerplatz einzuordnen. Sie zeigen, dass auch die mittelsteinzeitlichen Menschen diesen günstigen Ort immer wieder aufsuchten, obwohl sich die Umwelt- und damit Lebensbedingungen erheblich geändert hatten: längst war die Tundra mit ihrem Zugwild durch einen lichten Mischwald mit Standwild wie Hirsch und Wildschwein ersetzt.

Etwa hundert Meter westlich der Brücke entdeckte im Jahr 1962 ein aufmerksamer Heimatforscher am nördlichen Ufer des Fließes die Reste eines Teerofens. Der Ofen mit doppelter Wandung hatte einen Durchmesser von vier Metern. Durch eine Öffnung wurde die Anlage befeuert und gereinigt. Dem harzreichen Nadelholz im Inneren wurde durch langsames und sauerstoffarmes Verbrennen der Teer entzogen. Durch eine Holzröhre floss der Teer in eine zwei Meter große Lehmwanne ab. Teilweise wurde der Teer in Gefäßen erhitzt und zu Pech weiterverarbeitet. Die Keramikfunde datieren die Anlage in das 13. und 14. Jahrhundert. Pech war im Mittelalter ein wichtiger Grundstoff zum Kleben und Dichten und fand Anwendung bis hin zu medizinischen Zwecken. Ein Modell des dokumentierten Teerofens befindet sich im Heimatmuseum Reinickendorf.

## 37 Reiherwerder
**Bus 222 Mühlenweg**

Das Tegeler Fließ mündet in den Tegeler See. Gegenüber der Mündung liegt der Reiherwerder, eine kleine Halbinsel. Bei Planierungsarbeiten zu Beginn des 20. Jahrhunderts fand man auf der Südseite der Halbinsel Spuren eines spätbronzezeitlichen

Gräberfeldes und einer Siedlung. Die Bestattungen waren die typischen Urnengräber jener Zeit. Rätsel gaben zwei tiefe Gruben mit menschlichen Skeletten auf. Vermutungen zielen auf eine kultische Bedeutung dieser Gräber hin: Menschenopfer. Im Nordteil der Insel fand sich bei Arbeiten für den Park ein weiterer Fundplatz. Hier hatten sich vor rund tausend Jahren Slawen niedergelassen.

## 38 Schwarzer Weg
**Bus 222 Mühlenweg**

Nur wenige hundert Meter nördlich des Reiherwerder, etwa in Höhe der Kreuzung Gestellweg/Schwarzer Weg, fanden 1958 zwei junge Berliner beim Stubbenroden vier Bronzebeile. Eine Suchgrabung ergab keine weiteren Funde. Der Hortfund besteht aus drei Lappenbeilen und einem Absatzbeil. Während das Absatzbeil Abnutzungsspuren aufwies, waren die drei anderen Beile unbenutzte Rohlinge. Nach seiner Zusammensetzung gehört der Fund in die nordische Bronzezeit und zeigt mit dem Absatzbeil eine Verbindung nach Osten auf, da dieser Beiltyp hauptsächlich zwischen Oder und Weichsel verkommt. Derartige Funde lassen die Handelswege und weiträumigen Verbindungen der hiesigen Bevölkerung erahnen.

SCHWARZER WEG
Nur eins der Beile zeigt Benutzungsspuren

# AN DER PANKE

Die Panke ist nicht nur einer der Berliner Spreezuflüsse, sie ist auch namensgebend für einen der größten Berliner Bezirke. Von der Berliner Stadtgrenze bis in den Wedding kann man die Panke in ihrem Lauf verfolgen. Die letzte Strecke bis zu ihrer Mündung verschwindet im Berliner Untergrund. Seit langem ist ein Pankewanderweg geplant, der unmittelbar entlang des Flusses führen soll. Obwohl immer noch nicht realisiert, kann man im Norden der Stadt entlang der Panke vom Wedding bis in den Ortsteil Buch wandern oder Rad fahren. Während die Panke im Wedding nur an wenigen Stellen noch im Grünen fließt, verläuft sie im Bezirk Pankow zum großen Teil in Parks, Kleingartenanlagen und in der freien Natur. Wie die anderen Spreezuflüsse wurde die Pankeniederung seit der letzten Eiszeit von Jägern und Siedlern genutzt. Entsprechen zahlreich sind die Fundstellen aus allen ur- und frühgeschichtlichen Epochen.

## 39 Pankower Bürger- und Schlosspark

**Bus 155, 250, 255 Pankow Kirche**
**Tram 50, 52, 53**

Eine Wanderung entlang des Flusses sollte im Pankower Bürger- und Schlosspark beginnen. Während der Bürgerpark im 19. Jahrhundert angelegt wurde, ist der Park des Schlosses Schönhausen einer der ältesten im hiesigen Raum. Von hier stammen auch einige bemerkenswerte Funde. Es überwiegen, wie so oft im Berliner Raum, diejenigen aus der Bronzezeit. Ein Bronzebeil, aber auch Pfeilspitzen aus Feuerstein sowie Urnen wurden geborgen. Rätsel gibt bis heute ein Fund auf, der zwar gemeldet wurde, aber wieder verschwand. Im Jahr 1848 soll nämlich ein Grabinventar bestehend aus einem Schwert, einer Lanzenspitze und einem Ring aus Bronze gefunden worden sein. Allerdings behielt der Finder seine Entdeckung bei sich und hat die Funde angeblich als Bauopfer für ein Wohnhaus verwendet.

## 40 Niederschönhausen und Pankow

**Pankow: Bus 155, 250, 255 Pankow Kirche**
**Tram 50, 52, 53**
**Niederschönhausen: Bus 150, 250, 107, X 33**
**Hermann Hesse Straße/Waldstraße**
**Tram 52 Hermann Hesse Straße/Waldstraße**

Niederschönhausen (1375) und Pankow (1370) werden durch die Pankeniederung getrennt. Beide Dörfer entstanden im ersten Drittel des 13. Jahrhunderts als große Angerdörfer und waren anscheinend gezielt an einem Flussübergang angelegt worden. Verschiedene baubegleitende archäologische Maßnahmen bestätigten die Datierung der Dorfgründungen. Während Niederschönhausen durch seine barocke Schlossanlage auch überregional bekannt wurde, ist Pankow nur als Bezirksname und wegen seiner politischen Bedeutung in der Nachkriegszeit ein Begriff geworden. Auf historischen Karten zeigte sich am Südrand des Dorfes eine kleine Befestigungsanlage, heute die Ecke Berliner Straße/Schulstraße. Es handelt sich um eine sogenannte „Curia", einen befestigten Hof. Dieser Hof wird

PANKOW
Die historischen Straßen des mittelalterlichen Pankow haben ihren Verlauf bis heute beibehalten

mehrmals, so auch 1375 im Landbuch Kaiser Karls IV., genannt. Die Reste der Anlage wurden erst 1893 beseitigt und nur der Bogen der Schulstraße erinnert an ihren Standort. 1998 konnte ein Teil des Hofgrabens dokumentiert werden. Neben viel neuzeitlicher Keramik wurden auf der Sohle des Grabens einige mittelalterliche Scherben geborgen, die die Annahme bestätigen, dass diese Befestigung gleich bei Gründung des Dorfes angelegt wurde.

## 41 Kleingartenanlage Schüßler und Städtisches Krankenhaus Pankow

**Tram 50 Galenusstraße**

Südlich der zum Schlosspark Schönhausen führenden Schlossallee grenzen die Kleingartenanlage Schüßler und das Städtische Krankenhaus Pankow unmittelbar aneinander. Beide werden nur durch einen Weg getrennt, der von der Galenusstraße über die Panke zur Schlossallee führt. Hier befand sich vor 500 Jahren auf einer kleinen Insel ein Jagdhaus – ein sogenannter Vogelherd – des Kurfürsten Johann Cicero (Regierungszeit 1486-1499). Nach dem Tod des Kurfürsten wurde das Holzhaus abgetragen und verkauft. Bis zum Bau des Krankenhauses im Jahre 1905 wurde dieser Flecken „die Insel" genannt und dann erst beseitigt. Der Hügel, auf dem das Haus

GALENUSSTRASSE

Kurfürstliches Jagdhaus aus dem 15. Jahrhundert

stand, blieb erhalten und wurde in den Park des Krankenhauses integriert. Der Graben wurde zugeschüttet. Allerdings senkte sich die Mauer des Krankenhauses an der Stelle, an der sich der Graben befand.

Aus Niederschönhausen stammt eine der schönsten und berühmtesten Funde aus der vorrömischen Eisenzeit im Berliner Raum. Es handelt sich um eine 6,7 cm große Bronzefibel, eine Gewandspange, aus der Zeit um 500 v.Chr. Die beiden Masken und der Widderkopf weist sie eindeutig als keltischen Import aus. Leider konnten die Fundumstände nie geklärt werden. Die Fibel wurde 1865 angekauft, doch sind heute nur noch Kopien dieses Fundes vorhanden. Es gilt aber als sicher, dass das Original in der Umgebung von Niederschönhausen gefunden wurde, da im Umkreis Fundstellen aus der vorrömischen Eisenzeit bekannt sind.

## 42 Blankenburg

**S 2, 26 Blankenburg**
**Bus 150, 259 S Blankenburg**

Die Panke verläuft eine kleine Strecke entlang der A 114, einem Autobahnzubringer zum Berliner Ring. Beim Bau des Zubringers wurde auch ein ehemaliger slawischer Burgwall

BLANKENBURG
Wo heute die Autobahn verläuft, lag früher ein slawischer Burgwall

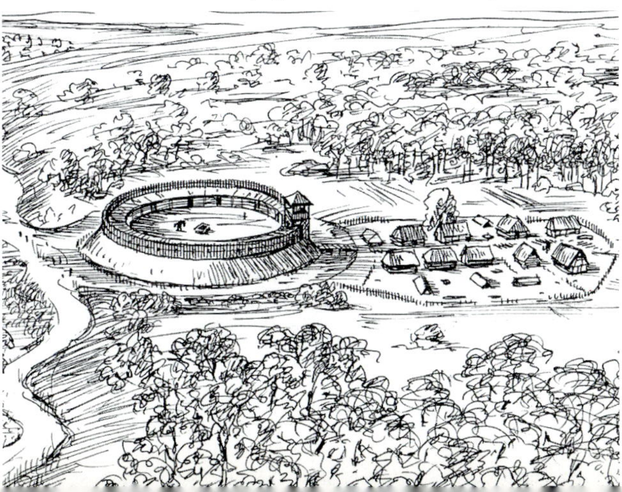

angeschnitten. Heute liegt diese Anlage im Ortsteil Blankenburg und ist auf der Karte leicht zu finden, da die heutige Burgwallstraße mit ihrem Namen daran erinnert. In den Jahren 1971/72 wurde auf dem Wall eine Ausgrabung durchgeführt. Die Burg erbauten slawische Siedler etwa im 8. Jahrhundert. Sie errichteten eine starke Wehrmauer in Holzrostkonstruktion, die mit Erde und Steinen verfüllt wurde. Diese Anlage brannte ab und auf ihren Trümmern errichtete man einen Nachfolgebau. Diesmal wurde die Außenwand durch eine Berme verstärkt und eine Uferbefestigung angelegt. Die typische Vorburgsiedlung ist im Bereich der heutigen Heimburgstraße zu suchen. Die Burg wurde im 10. Jahrhundert aufgegeben.

## 43 Karower Fischteiche

**S 2 Karow**
**Bus 350 S Karow**

Unmittelbar neben der Bucher Straße, die von Buchholz nach Buch führt, liegen die Karower Fischteiche. Ihre heutige Form erhielten die unter Naturschutz stehenden Teiche um 1920. Sie gehören zu einer breiten Niederung, die von zahlreichen Pankezuflüssen durchflossen wird. Dieses Gebiet bietet seit zehntausend Jahren Menschen günstige Lebensbedingungen. Am südöstlichen Ende der Seen entdeckten Arbeiter 1899 die Reste eines bronzezeitlichen Gräberfeldes. Laut ihrer Aussage standen die Urnen etwa einen halben Meter tief im Sand. Beigaben sind nicht erwähnt, nur der Leichenbrand. Ein weiterer Fundplatz liegt unmittelbar an einem der Seen, auf dem westlichen Ufer, dort wo der Wanderweg von der Straße in das Gelände führt. Hier befand sich in mesolithischer Zeit ein Rastplatz der hier lebenden Jäger und Sammler. Zahlreiche Abschläge sowie Pfeilspitzen, Stichel und andere Werkzeuge aus Feuerstein fanden sich an den Ufern des Sees.

## 44 Bucher- und Schönerlinder Straße

**Bus 251 Schönerlinder Straße**

In unmittelbarer Nachbarschaft der Karower Fischteiche befinden sich zwischen Bucher- und Schönerlinder Straße mehrere Fundplätze. Bis auf einen sind sie alle der jüngeren Bronzezeit zuzuordnen. Sie wurden erst in den vergangenen Jahren entdeckt. Da das Gelände als Gewerbegebiet ausgeschrieben wurde, fanden auf den Fundplätzen kleinere Untersuchungen statt. Es handelt sich um mindestens zwei, wenn nicht drei bronzezeitliche Siedlungen, von denen eine erhebliche Ausmaße aufwies. Sie liegt auf einer kleinen Anhöhe direkt an der Niederung. Auf ihr fand in den neunziger Jahren des vorigen Jahrhunderts eine größere Untersuchung statt. Zahlreiche Vorratsgruben, Feuerstellen und Pfostengruben wurden dokumentiert. Eine Grube enthielt mehrere Webgewichte, die ein Hinweis auf handwerkliche Tätigkeit waren. Nicht weit von dieser Stelle, nur wenige Meter von der Schönerlinder Straße, wurden beim Tiefpflügen im Jahr 1899 zwei bronzene Griffzungenschwerter gefunden. Sie lagen im moorigen Untergrund der Niederung, auf alten Karten als „der Upstall"

SCHÖNERLINDER STRASSE

Großes Vorratsgefäß aus der Bronzezeit

bezeichnet. Diese Schwerter sind heute im Pankower Heimatmuseum, zu sehen. Einen weiteren Fundplatz entdeckten Arbeiter beim Anlegen der Rieselfelder unmittelbar neben der Bucher Straße. Es handelte sich um ein Gräberfeld der vorrömischen Eisenzeit. Wie damals üblich, waren die Toten verbrannt und mit Beigaben in Urnen beigesetzt worden. Man fand eiserne Pinzetten und Nadeln sowie eine größere Anzahl bronzener Perlen und Anhänger. Das Gräberfeld wurde durch die Rieselfelder fast völlig zerstört, da der kleine Hügel, auf dem es lag, abgetragen wurde.

## 45 Dählingsberg/Arkenberger Damm

**Bus 251 Schönerlinder Straße**

Westlich der Schönerlinder Straße, unmittelbar an der Autobahn, befindet sich das Auslieferungslager einer großen Handelskette. Bevor es gebaut wurde, musste die dort befindliche bronzezeitliche Siedlung ausgegraben werden. Es gelang den Archäologen, fast das gesamte Areal der Siedlung zu erfassen und zu dokumentieren. Früher lag hier – neben einem "die Fennbuchte" genannten See – der Dählingsberg. Heute führt hier die Autobahn entlang. Die Archäologen stellten fest, dass die Bronzezeitleute in weit auseinanderliegenden Gehöften lebten. Zu jedem Gehöft gehörten mehrere Gebäude sowie eine technische Anlage. Neben einer breiten Palette Gebrauchskeramik – vom großen Vorratsgefäß bis zur Tasse – fanden sich auch einige Gefäße von hervorragender Qualität. Dass die ehemaligen Bewohner ihre Keramik selbst brannten, zeigten die Reste eines Ofens.

DÄHLINGSBERG/ARKENBERGER DAMM

Bronzezeitliche Gebrauchskeramik, die Bewohner stellten sie selbst her

Buch, Am sandhaus

Ein kleines germanisches Dorf

## 46 Am Sandhaus

**S 2 Buch**

**Bus 150, 151, 158 S Buch**

Nicht weit vom Ortskern Buch befindet sich zwischen dem Bahnhof Buch und der Straße Am Sandhaus eine große Freifläche, deren Bebauung schon seit mehreren Jahrzehnten geplant ist. Auf ihr befand sich eine Fundstelle der römischen Kaiserzeit, die in Vorbereitung des Baues ausgegraben wurde. Insgesamt dokumentierten die Archäologen mehr als zwanzig Hausgrundrisse, Kalkbrennöfen, Herdstellen sowie weitere technische Anlagen. Sechs zweischiffige Häuser mit ihren Nebengebäuden – Speicher und Grubenhäuser – gruppierten sich um einen freien Platz. Diese Höfe entsprechen der Rekonstruktion des germanischen Gehöftes im Reinickendorfer Heimatmuseum. Bei einem Gehöft waren die Ausmaße der Gebäude erheblich größer als die der anderen.

## 47 Karower Chaussee

**Bus 150, 158 Karower Chaussee**

Einer der spektakulärsten Funde der letzten Jahrzehnte wurde nicht durch Archäologen gemacht. Beim Bau der Kaufhalle für das Neubaugebiet südlich des alten Ortskernes Buch, in der Nähe der Karower Chaussee, stießen Bauarbeiter auf ein Depot von mehreren Bronzewaffen. Statt den Fund zu melden, teilten sie sich die Beute. Erst viele Jahre später gelangten zwei der Schwerter durch einen Zufall in das Märkische Museum. Polizeiliche Ermittlungen brachten dann einen Großteil des übrigen Fundes in musealen Besitz. Immerhin drei Schwerter, ein Schwertgriff und eine Lanzenspitze konnten erfasst werden. Die Herkunft eines weiteren Bronzeschwertes konnte nie ganz geklärt werden, aber es scheint zum Fund zu gehören, während der Verbleib von mindestens zwei weiteren Waffen unbekannt ist. Die Bronzen sind von außerordentlich hoher Qualität und wurden in der Zeit um 900 v.Chr. in Mitteleuropa gegossen. Die Schwerter sind als Waffe nicht zu gebrauchen und dienten vielleicht eher als Rang- oder Würdezeichen. Eines der Schwerter ist im Knauf mit einer Eiseneinlage verziert. Im Umfeld der Fundstelle sind mehrere bronzezeitliche Siedlungen bekannt.

Karower Chaussee

Die beiden oberen Schwerter taugten sicher nicht als Waffe

KLINIKUM BUCH

Für den Beginn des 20. Jahrhunderts eine bahnbrechende Ausgrabung

## 48 Klinikum Buch

**Bus 159, 251 Wiltbergstraße, Haus 99**

In den Jahren 1910 bis 1914 wurde in Buch, nördlich der heutigen Wiltbergstraße, eine bronzezeitliche Siedlung großflächig ausgegraben. Hier sollte die städtische Irrenanstalt, das spätere Klinikum Buch entstehen. Die Archäologen betraten mit dieser Ausgrabung Neuland. Es wurden zahllose Pfosten-, Vorrats- und Arbeitsgruben dokumentiert. Große Mengen Steingeräte, Keramik, Knochen- und Hornwerkzeuge sowie Hüttenlehm, aber – am Volumen der Ausgrabung gemessen – erstaunlich wenige Bronzegegenstände kamen zu Tage. Der Ausgräber schloss daraus, dass die Dorfbewohner nicht mehr genug Bronze besaßen und wieder dazu übergehen mussten, Werkzeuge aus Stein herzustellen. Der Ausgräber rekonstruierte über neunzig Hausgrundrisse. Diese Grabung hat in der Archäologie Maßstäbe gesetzt und war für spätere Ausgrabungen richtungweisend.

## 49 Bucher Schlosspark und Gutshof Buch

**Bus 159, 251 Alt-Buch/Karower Straße**

Die Wanderung entlang des Berliner Teils der Panke kann man mit einem Spaziergang durch den Bucher Schlosspark und den Gutshof Buch, heute Künstlerhof, abschließen. Bis 1945 waren Schloss und Park sowie das dazu gehörige Gut eine klassisch gegliederte Anlage. An einem kleinen, künstlich aufgestauten See befand sich die Orangerie. Sie wurde im Zweiten Weltkrieg durch Bombentreffer zerstört. Das 1964 abgerissene Schloss befand sich unmittelbar vor der Mauer, die den Park vom Gutshof trennt. Der Gutshof ist von der Straße Alt-Buch aus zugänglich. Archäologische Untersuchungen fanden bei Sanierungsarbeiten auf dem Gutshof und im sogenannten Inspektorenhaus statt, das sich nur wenige Schritte vom Eingang entfernt befindet. Die Ausgrabungen im Keller des Hauses zeigten, das der nördliche Teil in Form von drei Tonnengewölben in das 17. Jahrhundert zu datieren ist. Stück für Stück wurde das Haus erweitert und erhielt um 1810 seine heutige Form. Der Giebel zum Park wurde im neogotischen Stil erbaut. Auf dem Hof, direkt vor dem Stallgebäude, entdeckten die Archäologen einen mittelalterlichen Brunnen aus dem 14. Jahrhundert. Er wurde verfüllt, als das Niveau des Hofes um einen Meter aufgeschüttet wurde. Dies erfolgte in der Mitte des 18. Jahrhunderts, als das Schloss umgebaut und der Park neu gestaltet wurde. Auf dem Hof untersuchten die Archäologen mehrere Gruben. Zwei konnten auf Grund der Keramik in die jüngere Bronzezeit datiert werden. Eine weitere Grube, mit mindestens 10 m Durchmesser, enthielt eine erhebliche Menge Keramik, Eisen, Ziegelschutt, Tonpfeifenreste, Feuersteine für Steinschlossgewehre usw. Das Material stammte aus der Zeit des Schlossumbaus. Im restaurierten Inspektorenhaus sind eine kleine Ausstellung über die Grabung sowie einige Funde zu sehen.

# AN DER WUHLE

Ein weiterer Spreezufluss im Norden Berlins ist die Wuhle. Sie trennt den jetzt vereinigten Stadtbezirk Hellersdorf-Marzahn. Beide Bezirke standen im öffentlichen Bewusstsein für gesichtslose Plattenbauten. In den letzten Jahren wurden jedoch große Anstrengungen unternommen, die Naherholungsmöglichkeiten zu verbessern. Hier wird vor allem die Umgebung des Wuhletals genutzt, wo Parks entstanden, und auch bei der Neubebauung wurde darauf geachtet, dass die Bewohner ausreichend Grün zur Verfügung haben. Entlang der Wuhle sind etwa einhundert ur- und frühgeschichtliche Fundplätze bekannt, von denen einige in den letzten Jahrzehnten ausgegraben wurden.

## 50 Am Wuhlesee

**Bus X 69, 169 Deutschhofer Allee**

Nur wenige Schritte vom Wuhlesee entfernt wurde auf dem sogenannten Dammfeld bei Köpenick, heute das Gelände Nitzwalder Straße, Falkstätter Straße und der verlängerten Deutschhofer Allee, im Oktober 1919 beim Torfstechen ein Hortfund entdeckt. Dieser Fund, der in die Zeit um 1000 v.Chr. datiert wird, enthielt acht in einander gehakte Bronzeringe, zwei Bronzebeile und eine Sichel sowie mehrere Bronzebruchstücke. Anscheinend handelte es sich um Ware, die für einen Gießer bestimmt oder schon in seinem Besitz war. Ob der

Am Wuhlesee
Bronzestücke, die wahrscheinlich eingeschmolzen werden sollten

Händler oder Handwerker im Moment der Gefahr die wertvolle Bronze versteckte, ist nicht nachweisbar. Sicher ist, dass der Besitzer nicht überlebte und so das Versteck in Vergessenheit geriet. Der Fund ist aber auch ein Hinweis auf die handwerklichen Fähigkeiten der hiesigen Bronzezeitleute. Ein zweiter Hortfund wurde im Jahr 1927 nur wenige hundert Meter südlich in der Mühltaler Straße beim Ausheben eines Zaunloches gemacht. Er bestand aus sieben ineinander gelegten Bronzeringen.

## 51 Alt-Biesdorf/Habichtshorst

**Bus X 69, 108, 190, 198 Dohlengrund**
**Bus 198 Grüne Aue**

Eine der umfangreichsten Grabungen, die in den letzten Jahren in Berlin durchgeführt wurde, fand in unmittelbarer Nachbarschaft zur Wuhle statt. Wenige hundert Meter südlich der Straße Alt-Biesdorf, in Verlängerung der Straße Habichtshorst, sollte die ehemalige Niederung der Wuhle mit einer neuen Siedlung bebaut werden. In einer mehrjährigen Ausgrabung dokumentierten die Mitarbeiter der Berliner Denkmalpflege zwei bekannte Fundstellen. Während auf der einen Fundstelle die Reste einer bronzezeitlichen Siedlung ausgegraben wurden, zeigte die andere am Habichtshorst eine intensive Nutzung und Besiedlung seit der Mittelsteinzeit. Verschiedene mesolithische Werkzeuge wie Kernbeile, Klingen und Abschläge weisen auf die Anwesenheit dieser steinzeitlichen Nomaden hin. In denselben zeitlichen Zusammenhang gehört die mehrere hundert Meter südlich vom Habichtshorst im Jahr 1953 an der Heesestraße gefundene Maske aus dem vorderen Teil des Schädels eines Rothirsches, die in das 6. Jahrtausend v.Chr. datiert. Das Gelände um den heutigen Habichtshorst war kontinuierlich von der jüngeren Bronzezeit über die vorrömische Eisenzeit bis zur römischen Kaiserzeit besiedelt. Insgesamt konnten zwanzig Brunnen untersucht werden, die teilweise völlig verschiedene Konstruktionsarten aufwiesen: Kastenbrunnen, Korbbrunnen oder Korbflechtbrunnen. Auch technische Anlagen wurden untersucht. Eine davon war ein hervorragend erhaltener Kalkbrennofen. Es handelte sich um

HABICHTSHORST
Korbflechtbrunnen, so wie er bei der Grabung ans Licht kam

eine rechteckige, mit Feldsteinen vermauerte Grube, in der sich noch Reste vom letzten Kalkbrennvorgang und die eingestürzte Ofenkuppel aus Lehm befanden. Dieser Befund wurde im Block geborgen und im Museumspark Rüdersdorf wieder aufgestellt. An der Stelle der Ausgrabung befindet sich heute unmittelbar an der Wuhle neben einer Informationstafel auch das Modell eines germanischen Hofes, sowie der durch Steinplatten und Holzbohlen gekennzeichnete Befund mit mehreren Häusern.

## 52 Butzer See
**Bus 198 Am Niederfeld/Kressenweg**

Südlich der Straße Alt-Kaulsdorf, von der man einen herrlichen Blick auf das Spreetal hat, liegt der Butzer See. 1939-40 wurde hier eine spätslawische Siedlung aus dem 10. bis 12. Jahrhundert ausgegraben. Neben Vorrats- und Abfallgruben sowie Brunnen fanden sich zahlreiche Hinweise auf die Bebauung zu damaliger Zeit. Neben der Landwirtschaft scheint die

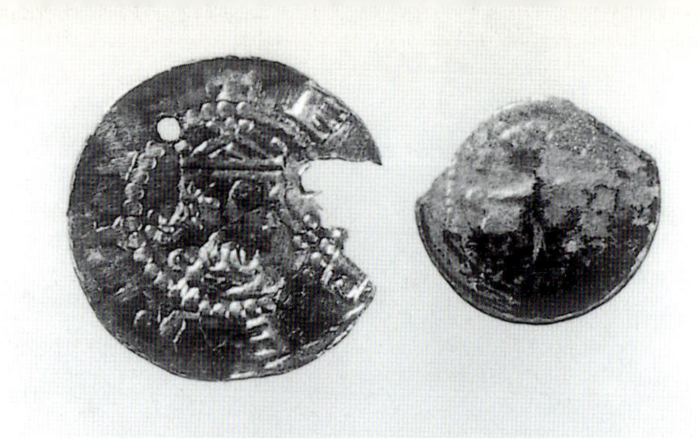

Butzer See
Die Silbermünze (links) wurde wohl als Anhänger getragen, daneben ein Sachsenpfennig

Jagd eine bedeutende Rolle gespielt zu haben. Viele Funde deuteten auf handwerkliche Tätigkeiten wie Töpfern, Spinnen, und Eisenverarbeitung. Auch konnte die Arbeitsgrube eines Kammmachers nachgewiesen werden. Große Mengen Keramik zeigen den Formenreichtum der slawischen Tonware. Es wurden auch eine Reihe Importgegenstände gefunden, darunter zwei Eisengewichte mit Bronzeblechüberzügen, ein Silberohrring und eine Karneolperle. Auch eine Silbermünze des Grafen Ekbert von Friesland (1068-90) und ein Sachsenpfennig waren unter den Funden.

## 53 Chemnitzer Straße

**Bus 169, 198 Achardstraße**

Gegenüber Habichtshorst, am östlichen Uferbereich der Wuhle, an der Chemnitzer Straße, wurde auf dem Gelände der ehemaligen Gärtnerei Golm 1933 eine germanische Siedlung ausgegraben. Neben Grubenhäusern fand sich auch ein Brunnen, aus dem eine Reihe Funde geborgen werden konnten, die diese Siedlung in die ältere römische Kaiserzeit datierten. Die Aufnahme dieses Brunnens erregte große Aufmerksamkeit, da seine Bergung zur damaligen Zeit eine grabungstechnische Herausforderung war.

Chemnitzer Strasse
Bergung eines germanischen Brunnens im Jahr 1933

## 54 Hultschiner Damm und Karlstraße
**Bus 198 Rahnsdorfer Straße**
**Tram 62 Rahnsdorfer Straße**

Etwas abseits der Wuhle, zwischen Hultschiner Damm und der Karlstraße, wurden 1905 und 1928 Teile ein großes Gräberfeld ausgegraben. Eines der interessantesten Ergebnisse war, dass diese Begräbnisstätte von der späten Bronzezeit bis in die vorrömische Eisenzeit genutzt wurde. Die Toten wurden verbrannt und die Asche in einer Urne der Erde übergeben. Die Urnengräber waren teilweise mit Steinen ausgekleidet. In die Grabgefäße kamen Beigaben aus Eisen und Bronze, vor allem Schmuck- und Trachtenteile sowie Waffen. Bei den Beigaben machte sich durch die unterschiedliche Anzahl und Qualität

Karlstrasse
Anhänger aus Bronze – als Beigaben ins Grab gelangt

eine soziale Differenzierung der damaligen Bevölkerung bemerkbar. Einige Beigaben, wie zum Beispiel mehrere Bronzeanhänger, werden auf keltische Vorbilder zurückgeführt.

## 55 Cottbusser Platz

**U 5 Cottbusser Platz**
**Bus 195 S Cottbusser Platz**

Es können sich wohl nur wenige Besucher und Einwohner Hellersdorfs vorstellen, dass sich die Wurzeln des heutigen Bezirkes am U-Bahnhof Cottbusser Platz befinden. Bis 1972 galt das Gelände des Gutes Hellersdorf, mit der Bezeichnung Alt-Hellersdorf, als die alte Ortslage des schon seit dem 15. Jahrhundert wüsten Dorfes „Hellwigstorf". Durch intensive Suche in der Umgebung wurde 1972, etwa 650 Meter südlich des Gutes, das wüste Dorf entdeckt. Von 1983-86 wurden große Teile des mittelalterlichen Dorfes ausgegraben. Das alte Hellersdorf war ein etwa ein Kilometer langes Straßendorf. In der südlichen Dorfzeile konnten die Bodendenkmalpfleger die Reste der Kirche ausgraben. Hier befand sich auch der Friedhof, von dem etwa 200 Gräber freigelegt wurden. 18 Gräber befanden sich im Inneren der Kirche, davon immerhin 15 Kindergräber. Von den einfachen Bauten des Dorfes blieben nur Reste. Die meisten Häuser waren allem Anschein nach ebenerdige Fachwerkhäuser. Einige Bauten wiesen Unterkellerungen auf, die aus unbearbeiteten Feldsteinen gemauert waren. Von einem Gebäude in der Südzeile war noch das massive Steinfundament aus Granitblöcken und Feldsteinen erhalten. Unter diesem Fundament fand sich noch der Rest eines hölzernen Vorgängerbaues. Die Archäologen konnten feststellen, dass das Dorf aus sechs bis acht Gehöften bestanden hatte. Die dendrochronologische Analyse eines Eichenpfostens ergab, dass dieser Baum um 1218 geschlagen worden war. Neben der zahlreichen Keramik aus dem 13. und 14. Jahrhundert ist eine bronzene Klappwaage wohl der wichtigste Fund. Weiterhin wurden eine Münze des brandenburgischen Markgrafen Otto IV. (1267-1308), ein Kugelstachelsporn und ein eisernes Steckschloss mit Messingauflage gefunden.

Cottbusser Platz

Die bronzene Klappwage war das herrausragende Fundstück

## 56 Rohrpfuhl/Allee der Kosmonauten

**Bus 190, 192, 195 Adersleber Weg**
**Tram 8, 18 Adersleber Weg**

In den Jahren 1976 bis 1979 wurde südöstlich des alten Dorfkerns Marzahn um den ehemaligen Rohrpfuhl, heute Allee der Kosmonauten, in Höhe Kienbergstraße, eine umfangreiche Rettungsgrabung durchgeführt. Abgesehen von einigen jungsteinzeitlichen Funden, Resten einer spätgermanischen Siedlung aus dem 4. und 5. Jahrhundert sowie 46 Gruben aus der frühslawischen Siedlungsperiode, gehörten 90 Prozent der Befunde der vorrömischen Eisenzeit an. Die Archäologen legten eine frühgermanische Gehöftsiedlung aus der Zeit von etwa 500 bis 50 v.Chr. frei. Im Verlauf der Grabung wurden mehrere Gehöfte nachgewiesen. Zu einem Gehöft gehörte jeweils ein zweischiffiges Langhaus in Pfostenbauweise mit lehmverputzten Flechtwerkwänden mit zwei bis drei Nebengebäuden. Diese Häuser waren eine Kombination aus Wohnung und Viehstall, um so die Wärme des Stalles für das gesamte Haus zu nutzen. Das zur Siedlung gehörige Gräberfeld wurde ebenfalls entdeckt. Die Beigaben aus den 30 geborgenen Urnen wie Fibeln, Nadeln,

Allee der Kosmonauten
Das keltische Widderköpfchen zeigt die weitreichenden Handelsbeziehungen

Anhänger, Ohrringe und Messer, gestatteten einen Blick in die Alltagskultur dieser Germanen. Schönster Fund ist ein kleines Widderköpfchen aus Bronze, das aus dem keltischen Kulturbereich stammt und in das 1. Jahrhundert v.Chr. datiert wird. Gusstiegel und Eisenschlacke sowie Keramikfehlbrände belegen das Handwerk. Mahltröge aus Stein, ein Backofen sowie die geborgenen Knochen von Haustieren weisen auf die Landwirtschaft als Lebensgrundlage dieser Menschen hin. Neben germanischen Funden wurden auch einige frühslawische Befunde ausgegraben, darunter drei Brunnen. Einer davon war direkt auf die Reste eines germanischen Brunnens gesetzt worden.

## 57 Kirchen von Alt-Kaulsdorf und Alt-Mahlsdorf

**Alt-Mahlsdorf: Tram 62 Alt Mahlsdorf**
**Alt-Kaulsdorf: Bus 169 Adolfstraße**

Eine der wichtigsten Aufgaben der Berliner Bodendenkmalpflege ist es, Baumaßnahmen in Baudenkmalen zu begleiten. Die Dorfkirchen sind die ältesten erhaltenen Bauwerke auf dem Berliner Stadtgebiet. In den Kirchen von Alt-Kaulsdorf (1375) und Alt-Mahlsdorf (1345) wurden die Baumaßnahmen nicht nur begleitet, es wurden auch kleinere Sondagen durchgeführt. Das barocke Aussehen der Kaulsdorfer Kirche geht auf den Umbau von 1716 zurück, als die Kirche um etwa sieben Meter verlängert würde. Bei den Ausgrabungen in den neunziger Jahren des vergangenen Jahrhunderts, entdeckten die Archäologen die 1716 abgebrochene Ostwand mit der halbrunden Apsis sowie das Fundament des mittelalterlichen Altars. Im Kern ist der Bau aus dem 13. Jahrhundert erhalten. Ähnliche Arbeiten fanden in der Mahlsdorfer Kirche statt. Sie gehört ebenfalls in das 13. Jahrhundert, wurde aber nicht so verbaut wie die Kaulsdorfer Kirche. In der Kirche fanden sich mehrere ältere Fußböden, die bei den verschiedenen Umbauten in diesem Gotteshaus nicht entfernt, sondern überbaut wurden. Auch der älteste Fußboden aus dem Mittelalter war erhalten. Der mit kleineren Feldsteinen ausgelegte Altarbereich war gegenüber dem gestampften Lehmfußboden im Saal etwas erhöht.

## AM TELTOWKANAL

Seit 1860 lagen Pläne für einen Kanal vor, der die stark befahrene Spree entlasten sollte. Dieser neue Teltowkanal verkürzte den Weg von der Spree und Dahme zur Havel bei Potsdam. Von 1901 bis 1907 wurde der Teltowkanal gebaut, wobei man die Niederung des kleinen Flusses Bäke ausnutzte, die dadurch aus dem Landschaftsbild verschwand. Auch entlang dieses Gewässers siedelten in den vergangenen Jahrtausenden verschiedene Kulturen, deren Spuren noch heute immer wieder zu Tage kommen. Auf Teilstrecken ist es möglich, am Ufer des Teltowkanals zu Fuß oder mit dem Rad entlang zu wandern oder zu fahren.

### 58 Universitätsklinikum Benjamin Franklin

**Bus 283 Klingsortplatz/Klinikum**
**Bus 185, 285 Universitätsklinikum Benjamin Franklin**

Im Jahr 1957 wurde für den Bezirk Steglitz ein neuer Krankenhauskomplex geplant. Das heutige Universitätsklinikum Benjamin Franklin sollte unmittelbar neben dem Teltowkanal gebaut werden. In einer umfangreichen Untersuchung konnten die Berliner Archäologen eine bronzezeitliche Siedlung aus dem

UNIVERSITÄTSKLINIKUM BENJAMIN FRANKLIN
Zahlreiche Gefäße gelangten als Opfergaben in den Brunnen

11. Jahrhundert v.Chr. ausgraben. Sie lag auf einer Kuppe, die sich in einer Schleife der Bäke befand und umfasste mehrere Häuser. Die Häuser besaßen eine Größe bis zu 5 x 7 m. Es handelte sich um einfache Pfostenbauten, deren Flechtwerkwände mit Lehm verputzt waren. In einem Suchschnitt am alten Bäkeufer entdeckten die Ausgräber einen Brunnen, der aus einem ausgehöhlten Baumstamm bestand. Der Brunnen war nicht bis zum Grundwasserspiegel eingetieft worden, sondern wurde durch Schichtenwasser gespeist. Doch die Dorfbewohner nutzten diesen Brunnen anscheinend in einer Trockenperiode auch als Opferschacht. Zahlreiche Gefäße wurden geborgen, in denen die Menschen Gaben für ihre Götter opferten, um sie für die kommende Zeit gnädig zu stimmen.

## 59 Wismarer Straße

**Bus 110, 185, 277 Prettauer Weg**
**Bus 285, 112 Appenzeller Straße**

Vom Mai bis Dezember 1997 wurde an der Wismarer Straße – in direkter Nachbarschaft zum Teltowkanal – Teile einer bronzezeitlichen Siedlung ausgegraben. Bis zum Bau des Kanals lag der Fundplatz in unmittelbarer Nachbarschaft zum Teltowsee, der Ende des 19. Jahrhunderts schon teilweise verlandet war und dann völlig verschwand. Die Archäologen stell-

Wismarer Strasse
Ein Archäologe bei der Bergung von Tierknochen

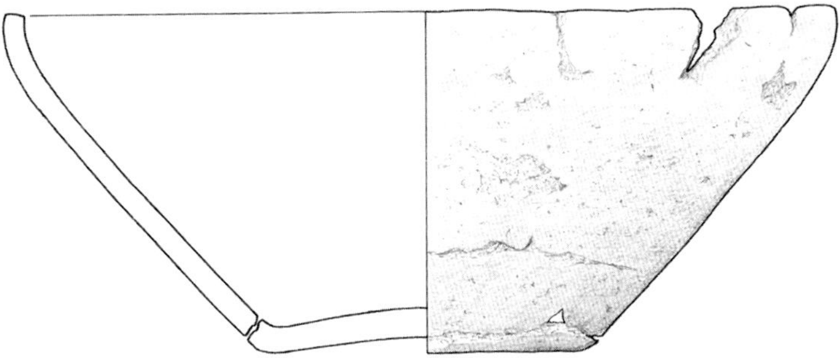

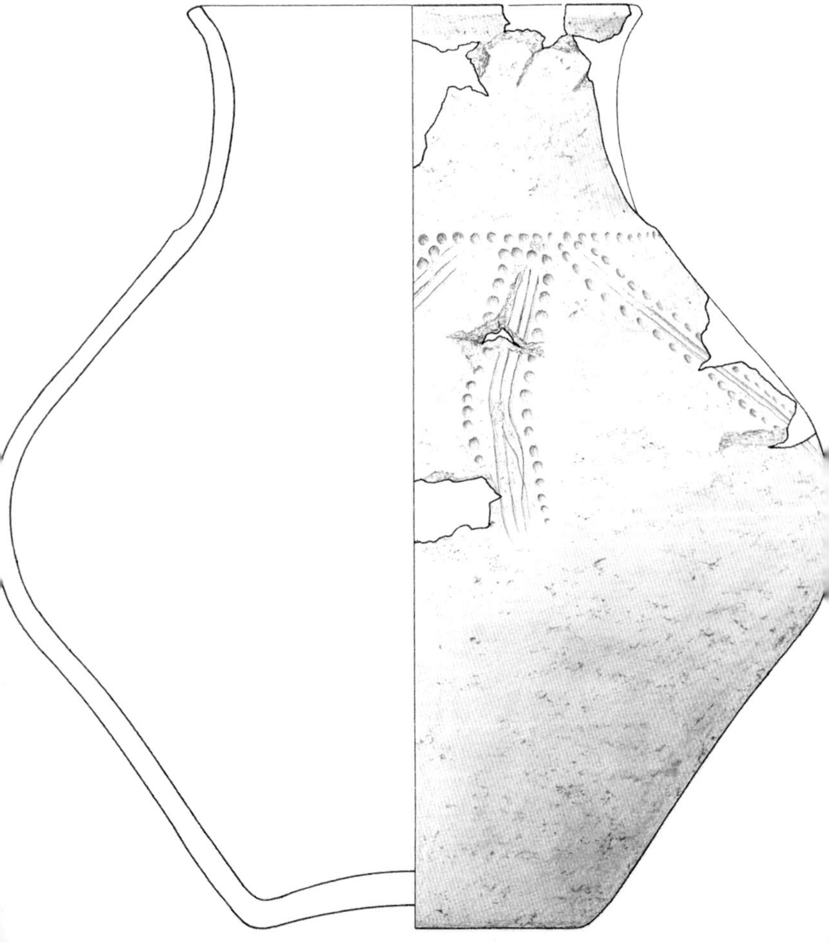

ten fest, dass die Siedlung vermutlich in einzelne Höfe unterteilt war. Zu diesen vermuteten Höfen gehörten jeweils mehrere Pfostenbauten. Außerdem fanden sich verschiedene Werkplätze mit Amboss- und Mahlsteinen sowie steinernen Arbeitsplatten. Auf der Siedlung wurde eine große Anzahl Keramik gefunden, die einen Einblick in die breite Palette der damaligen Gebrauchskeramik gibt.

In direkter Nachbarschaft zum bronzezeitlichen Fundplatz an der Wismarer Straße, wurde ebenfalls im Jahr 1997 am Ortlerweg ein Urnengräberfeld der vorrömischen Eisenzeit ausgegraben und insgesamt 128 Gräber freigelegt. Bei 81 Bestattungen waren die Urnen mit einem Deckel abgedeckt und bei 32 Gräbern war die Steinauskleidung noch erhalten. 15 Tote waren ohne Gefäß der Erde übergeben worden. Um eine Bestattung war ein Steinkreis angelegt worden. In den Urnen fanden sich neben dem Leichenbrand zahlreiche Trachtenteile wie Schmucknadeln, Fibeln, Gürtelhaken und Messer. In einigen Fällen hatten die Verwandten ihren Toten kleine Trinkgefäße mit auf die letzte Reise gegeben.

## 60 Kolonie Erkaveln

**Bus 184, 185 Schwelmer Straße**

Im Jahr 1946 machten Arbeiter am Ostpreußendamm, an der Kolonie Erkaveln, beim Torfstechen in 1,20 m Tiefe einen Bronzehortfund. Er bestand aus einer Plattenfibel, einem Dolch, drei Armreifen sowie dem Bruchstück einer Sichel. Der Fund wird in das 11. Jahrhundert v.Chr. datiert. Kurz nach seiner Entdeckung und Registrierung verschwand dieser Bronzehort wieder und gelangte erst 12 Jahre später in das Museum für Vor- und Frühgeschichte.

Ortler Weg

Die Urne und ihr Deckel zeigen in der Zeichnung ihre alte Form

# AN DAHME, SPREE UND MÜGGELSEE

Wie der Südwesten Berlins von der Havel und ihren Seen bestimmt wird, findet man im Südosten ebenfalls eine sehr wasserreiche Gegend. Hier bestimmen Dahme, Spree und der Müggelsee die Landschaft. Entlang der Gewässer finden sich zahlreiche Fundplätze, unter denen eindeutig die steinzeitlichen Fundplätze entlang der genannten Gewässer sowie auf dem West- und Ostufer des Müggelsees dominieren.

## 61 Müggelsee

**Bus X 69, 169 Müggelschlößchenweg**
**Tram 60, 61 Müggelseedamm/ Bölschestraße**
**Bus (Müggelturm) 169 Chausseehaus**

In dem von Berlinern schon seit dem 19. Jahrhundert genutzten Erholungsgebiet gibt es kaum Bautätigkeit, weshalb auch nur wenige Fundstellen bekannt sind. Oft sind es nur Lesefunde, die auf Fundplätze hinweisen. Bei einem Spaziergang entlang des Sees, zum Beispiel beginnend in Friedrichshagen, auf dem Weg Am Müggelsee in Richtung Müggelturm, wo die Müggelspree beginnt, liegt einer der steinzeitlichen Fundplätze. Weitere Plätze, zum Beispiel am Kuhwall, ziehen sich entlang des Weges bis zum Müggelheimer Damm hin. Südlich des Dammes liegt auf den Müggelbergen der berühmte Müggelturm. In der unmittelbaren Umgebung des Turmes wurden 1924/25 Ausgrabungen durchgeführt. Bei beiden Fundplätzen handelt es sich um bronzezeitliche Siedlungen, die teilweise die ganze Bergkuppe eingenommen haben. Die durch das Gemälde von Karl Blechen „Semnonenlager in den Müggelbergen" und Fontanes Gedicht von der „Semnonen-Vision" populär gemachte Vermutung, dass sich dort ein germanisches Heiligtum befunden hätte, wurde durch die Ausgrabung widerlegt.

## 62 Wernsdorfer Straße

**Bus 168, 733 Alt-Schmöckwitz**
**Tram 68 Alt-Schmöckwitz**

Einer der wichtigsten steinzeitlichen Fundplätze Berlins liegt östlich der Schmöckwitzer Brücke. An der Wernsdorfer Straße, etwa in Höhe der Abzweigung Schwarzer Weg, führten zahlreiche Lesefunde auf die Spur dieser Station. Eine Ausgrabung im Jahr 1924 brachte einen Siedlungsplatz zu Tage, der im Mesolithikum und Neolithikum genutzt wurde. Unter den Funden waren Beile aus Feuerstein und Felsgestein, Werkzeuge aus Feuerstein, aber auch neolithische Keramik. Der wohl wichtigste Fund waren drei mesolithische Gräber, darunter eine Kinderbestattung. Diese Gräber sind bis heute die ältesten im Berliner Raum. Die Bestattungen waren Ost-West ausgerichtet und enthielten nur Teile von menschlichen Skeletten. Sie lagen in Mulden, die mit roter Erde ausgekleidet waren und einige kleine Feuersteingeräte als Beigaben hatten. Von der Lage der Knochen her kann man davon ausgehen, dass die Toten vor ihrer Bestattung skelettiert worden waren. Vermutet wird, dass hier kultische Vorstellungen, wie zum Beispiel die Angst vor Wiedergängern, vorliegen.

## 63 Rauchfangswerder

**Bus 168 Fährallee**

Vom äußersten südlichen Zipfel des Landes Berlins, dem Rauchfangswerder, stammt einer der interessantesten bronze-

RAUCHFANGSWERDER

Ein Stabdolch – eher Statussymbol als Waffe

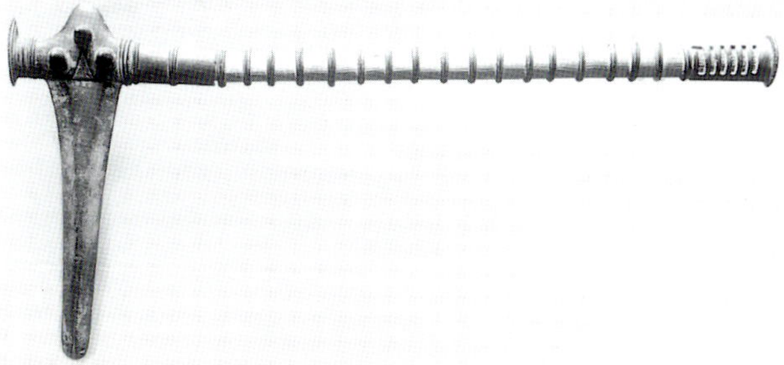

zeitlichen Hortfunde. Auf einem Ufergrundstück der heutigen Jackyallee wurden 1881 beim Rigolen in cirka 60 cm Tiefe zwei so genannte Stabdolche gefunden. Neben den Klingen fanden sich auch die Tüllen der Schäftung. Beide Dolche sollen in horizontaler Lage, parallel mit den Spitzen zueinander deponiert gewesen sein. Sie werden in das 16. Jahrhundert v.Chr. datiert und gehören damit zu den frühesten Zeugnissen der Bronzezeit. Vermutungen gehen dahin, dass in diesen Stabdolchen keine Waffen, sondern vielmehr Würdezeichen zu sehen sind. Leider zählt dieser Fund zu den seit 1945 verschollenen ur- und frühgeschichtlichen Gegenständen. Von Rauchfangswerder sind noch Funde aus dem Neolithikum und der Bronzezeit sowie der römischen Kaiserzeit bekannt.

## 64 Karolinenhof
**Tram 68 Schappachstraße**

Nördlich Alt-Schmöckwitz liegt am Langen See Karolinenhof. Hier an der Rohrwallallee, gegenüber der Insel Kleiner Rohrwall, wurden 1874 „Im Sande und ohne sonstige Verpackung" eine bronzene Spiralplattenfibel, eine Bronzenadel und eine kleine Fibel entdeckt. Angeblich fanden sich auch Siedlungsspuren. Vom gegenüberliegenden Kleinen Rohrwall sind slawische Funde aus dem 9. bis 12. Jahrhundert bekannt.

KAROLINENHOF
Die Fibel zeigt: auch in der Bronzezeit wurde auf ein gutes Design geachtet

Auf dem nur wenige hundert Meter nördlich gelegenen Großen Rohrwall wurde von 1922 bis 1924 eine Ausgrabung durchgeführt, die ergab, dass diese Insel in der Bronzezeit und in der Slawenzeit besiedelt war.

### 65 Rahnsdorf/Müggelspree

**Bus 161 Waldschützenpfad**
**Tram 61 Rahnsdorf/ Waldschenke**

Im Ortsteil Rahnsdorf konzentrieren sich die Funde vor allem entlang der Müggelspree. Auf dem sogenannten Entenwall, der an der Mündung der Spree in den Müggelsee liegt, wurden in den letzten 120 Jahren zahlreiche Funde aus verschiedenen Epochen gemacht: Feuersteingeräte aus dem Mesolithikum, Keramik aus der römischen Kaiserzeit und der Slawenzeit. Innerhalb des Ortes, so am Mühlenweg und am Lagunenweg, fanden sich germanische Brandschüttungsgräber. Im Gegensatz zu den hier lebenden Germanen, die ihre Toten in Urnen beisetzten, zeigten diese Gräber an, dass eine neue Bevölkerungsgruppe – wahrscheinlich Burgunden – hier siedelten.

### 66 Berliner Stadtforst

**Bus 161 S Wilhelmshagen**
**S 3 Wilhelmshagen**

Nördlich von Wilhelmshagen, im Berliner Stadtforst direkt an der Landesgrenze, wurde schon im 19. Jahrhundert begonnen, auf einem Begräbnisplatz der jüngeren Bronzezeit Ausgrabungen durchzuführen. 1965 wurde das gesamte Gräberfeld mit insgesamt 214 Bestattungen geborgen. Etwa zwei Drittel der Urnen standen frei im Sand, bei dem Rest waren die Gräber mit Steinen ausgekleidet. In einem Teil der Urnen befanden sich neben dem Leichenbrand auch Beigaben wie Fingerringe und Nadeln aus Bronze. In 25 Gräbern wurden mehrere Menschen bestattet und in 19 Urnen fanden sich auch Tierreste. Dieser Friedhof war vom 12. bis zum 7. Jahrhundert v.Chr. belegt worden.

## DIE DÖRFER – SIE GEBEN DER STADT GRÖSSE



Anmerkung:
Die Jahreszahlen hinter den Ortsnamen im folgenden Abschnitt geben an, wann die betreffenden Dörfer erstmalig urkundlich erwähnt wurden.

# DIE DÖRFER

Die heutige Großstadt Berlin ist eine Schöpfung aus dem Jahr 1920. Sie wurde aus acht Städten (Berlin, Charlottenburg, Köpenick, Lichtenberg, Neukölln, Schöneberg, Spandau und Wilmersdorf), 59 Landgemeinden (z.B. Pankow, Weißensee, Treptow usw.) sowie 27 Gutsbezirken (z.B. Buch und Dahlem) gegründet. Bis auf Berlin/Cölln, Spandau und Köpenick waren fast alle diese Gemeinden aus Dörfern entstanden. Die Großstadt hat viele dieser Dörfer eingemeindet und manchmal auch die historischen Grundrisse verschwinden lassen. Trotzdem gibt es noch eine ganze Reihe ehemaliger Dorfkerne, die sogar ihr ursprüngliches Aussehen bewahrt haben. Seit dem Zweiten Weltkrieg ist die archäologische Erforschung der historischen Ortskerne eine der wichtigsten Aufgaben der Berliner Bodendenkmalpflege. In zahlreichen Ausgrabungen und Baubegleitungen gelang es der Berliner Archäologie, die Erkenntnisse über die Besiedlung des Spreegebietes erheblich zu erweitern. Bis vor wenigen Jahrzehnten galt es als unbestritten, dass die meisten der Dörfer um 1230 gegründet wurden. Seit einigen Jahren hat man diese Aussage revidiert. Vor allem auf dem südlich der Spree gelegenen Teltow konnte nachgewiesen werden, dass schon um das Jahr 1200 hier der herrschaftlich gesteuerte Landesausbau einsetzte.

## 67 Museumsdorf Düppel

**Bus 115 Am Rohrgarten**
**Bus 211 Clauertstraße**

Im Bezirk Zehlendorf liegt am Machnower Krummen Fenn das Museumsdorf Düppel. Die Museumsanlage, benannt nach dem dortigen Rittergut Düppel, ist eine Rekonstruktion der an Ort und Stelle gemachten archäologischen Befunde. Die Fundstelle wurde 1941 entdeckt und ab 1965 ausgegraben. Schnell zeigte sich, dass man auf ein bis dahin unbekanntes Dorf aus der Zeit um 1200 gestoßen war. Auf dem Stadtgebiet der Hauptstadt existieren über dreißig sogenannte Wüstungen aus dem Mittelalter, ehemalige Dörfer und Siedlungen. Sie wurden

MUSEUMSDORF DÜPPEL
Dieses Tor führt 800 Jahre zurück durch die Zeit

teilweise noch während der ersten Besiedlungsphase aufgegeben und gingen in den großen Bauerndörfern auf. Das heutige Museumsdorf Düppel gehört zu diesen Dörfern und existierte etwa 30 Jahre, bis es aufgegeben wurde und die Bewohner wahrscheinlich nach Zehlendorf umzogen. Bevor es entstand, befand sich an dieser Stelle eine kleine Befestigungsanlage, die aller Wahrscheinlichkeit nach ein Grenzkontrollpunkt zwischen dem wettinischen und askanischen Machtbereich war. Das Tor dieser Befestigung wurde später als Dorfeingang genutzt. Es war ein glücklicher Zufall, dass die Stelle nach der Aufgabe des Dorfes um 1230 nicht mehr überbaut wurde. So konnten die Archäologen ein mittelalterliches Dorf aus der ersten Phase der deutschen Einwanderung vollständig ausgraben. Etwa 14 Gehöfte, geschützt durch eine befestigte Toranlage, gruppierten sich um einen ovalen Dorfplatz. Das Machnower Fenn begrenzte das Dorf auf der anderen Seite. Rekonstruiert wurden einige der Gehöfte mit ihren Blockhäusern, sowie die Schmiede, das Backhaus, Getreidespeicher und Teerschwelen. Der Besucher kann sich in den Sommermonaten ebenso über die mittelalterliche Tierhaltung und den Getreideanbau informieren, wie über die Kräuternutzung. Ausstellungen und Verkaufsstände gehören ebenfalls zur Museumsanlage. Zahlreiche Veranstaltungen mit Vorführungen runden dieses Erlebnis ab.

## 68 Rosenthal

**Bus 121 Rosenthal Kirche**
**Tram 53 Hauptstraße/Friedrich-Engels-Straße**

Im Norden Berlins liegt das Dorf Rosenthal (1356). Kopfsteinpflaster und alte Gehöfte vermitteln immer noch einen ländlichen Charakter. Ältestes Bauwerk des Ortes ist die in ihrem Kern romanische Kirche aus dem ersten Drittel des 13. Jahrhunderts. Direkt neben der Kirche befindet sich der ehemalige Gutshof. Bis auf ein Bauernhaus aus der Zeit um 1800

ROSENTHAL
Um die Kirche herum wuchs das Dorf

und eine Schnitterkaserne wurden alle anderen Gebäude beseitigt. Im Jahr 1998 fand im Vorfeld der geplanten Bebauung des Areals eine Ausgrabung statt. Die Archäologen entdeckten die Spuren der ersten Einwanderer sowie die Überreste des Lustschlosses des ersten preußischen Königs. In einem verfüllten mittelalterlichen Keller wurden sechs vollständige Gefäße aus der ersten Hälfte des 13. Jahrhunderts geborgen. Die dendrochronologische Untersuchung eines Balkens ergab, dass der Keller um 1230 errichtet worden war. Das Haus stand nur wenige Jahre und brannte dann ab. Der wohl wichtigste Befund der Ausgrabung war ein 5 x 5 m großer Feldsteinkeller. Die Mauern waren bis zu einem Meter stark und im Inneren behauen und geglättet. Es handelte sich um das Fundament eines Wohnturms, mit angebautem Treppenturm aus der Zeit um 1300. Es kann davon ausgegangen werden, dass auf diesem Fundament ein Fachwerkaufbau mit zwei Stockwerken saß. Als Schutz diente ein flacher Graben und ein Flechtwerkzaun. Wohntürme dieser Art waren im Mittelalter typisch für den niederen Adel. In Rosenthal saßen „von Alters her" die Krummensees, die auf dem Barnim erheblichen Grundbesitz hatten. Weiterhin konnten die Archäologen auch noch die Reste des im 18. Jahrhundert nur wenige Jahrzehnte existierenden königlichen Schlosses dokumentieren. Dabei gelang es ihnen nachzuweisen, dass die einzige überlieferte Ansicht dieser Anlage deren wirkliche Größe teilweise erheblich übertreibt.

Südlich des Ortskernes Rosenthal verläuft der Nordgraben. Bei seinem Bau entdeckten Bauarbeiter drei Gräber. Nur ein Skelett wurde aufgehoben, aber immerhin sicherten die Arbeiter die Beigaben, die sie entdeckt hatten. Es handelt sich um eine vergoldete Silberfibel und einen Goldbrakteaten, eine einseitig geprägte Münze, die als Anhänger benutzt wurde. Mit diesen Beigaben war eine Datierung der Gräber in das 6. Jahrhundert möglich. Diese Bestattungen sind ein eindeutiger Hinweis auf eine kleine germanische Siedlungskammer. Die Fibel ist nach der Art der Thüringer Gewandspagen gearbeitet und zeigt den Einfluss, den das Reich der Thüringer zu dieser Zeit auf die Germanen im Havel-Spreegebiet ausübte, die sich nicht der großen Wanderung angeschlossen hatten.

## 69 Blankenfelde

**Bus 107 Blankenfelde Kirche**

Von Rosenthal führt die Mönchmühler Straße zum nördlichen Nachbardorf Blankenfelde (1375) mit seiner sehenswerten Kirche. Zwischen beiden Dörfern ist die Landschaft in einen ursprünglichen Zustand versetzt worden. Fuß- und Radwege laden hier den Erholungssuchenden ein, der auch einen Besuch der benachbarten Botanischen Anlage nicht versäumen sollte. Zwischen beiden Dörfern liegt an einem verlandeten See eine Stelle, die als „alte Dorfstelle" auf den Karten bezeichnet wird. Eine archäologische Untersuchung brachte das Ergebnis, dass hier im 11. und 12. Jahrhundert Slawen lebten, die dann in die beiden großen Dörfer umgesiedelt wurden.

## 70 Britz

**Bus 144, 146, 270 Britzer Damm/Gradestraße**
**Bus 174 Britzer Damm/Tempelhofer Weg**

Das Dorf Britz (1375) ist vor allem durch sein restauriertes Herrenhaus, das für Ausstellungen genutzt wird, und den Gutsgarten bekannt. Ziel von archäologischen Untersuchungen war allerdings nicht dieser Komplex, sondern der Bereich um die Kirche, die in ihrem Kern auf das 13. Jahrhundert zurückgeht. Die Kirche liegt im Gegensatz zur überwiegenden Zahl der Dörfer nicht in der Dorfzeile oder auf dem Anger, sondern etwas abseits auf einem Hügel an einem See. Diese geschützte Lage ließ die Vermutung aufkommen, dass das Gotteshaus ursprünglich zu einem der vier Herrensitze im Dorf gehörte, die in der Ersterwähnung des Dorfes im Landbuch von 1375 beschrieben wurden. Die in den sechziger Jahren im Pfarrgarten durchgeführten Grabungen verstärkten den Verdacht auf einen Herrenhof. Vermutet wird ein Ziegelgebäude, das neben der Kirche stand. Weiterhin stellten die Archäologen fest, dass der Hügel schon im 10. und 11. Jahrhundert von Slawen bewohnt gewesen ist. Ein ebenfalls entdeckter Feldsteinbrunnen konnte rekonstruiert werden. Die Ausgräber datierten ihn in das 14. Jahrhundert.

In einem separaten Raum des Gemeindehauses ist der Brunnen zusammen mit einigen Funden nach vorheriger Anmeldung zu besichtigen. Fon 030/60 08 38 09

Einen weiteren Hinweis auf einen der erwähnten Adelshöfe entdeckten die Archäologen beim Abriss der Schnapsbrennerei auf dem ehemaligen Gutshof in Britz, der unmittelbar neben dem Gutshaus liegt. Es handelte sich um das Erdgeschoss eines Feldsteinbaues, bei dem noch die Ansätze des Tonnengewölbes zu sehen waren. Sie waren aus klosterformatigen Ziegeln (große mittelalterliche Ziegel) gearbeitet. Der Bau wurde in das 15. Jahrhundert datiert. Eine derartig massive Anlage muss einem der Edelhöfe zugeordnet werden. Von der ehemaligen Brennerei steht heute nur noch der Schornstein.

## 71 Hufeisensiedlung

**U 7 Blaschkoallee**
**Bus 141 Onkel Hersestraße**

Nur wenige Schritte vom historischen Ortskern Britz entfernt befindet sich die von 1925 bis 1931 erbaute Hufeisensiedlung. Das durchgehende Gebäude umschließt einen kleinen Teich, einen sogenannten Kolk, ein Überbleibsel der letzten Eiszeit. Beim Bau der Siedlung stießen die Arbeiter immer wieder auf Gruben und Keramik. Südlich und westlich des Teiches befand sich in der zweiten Hälfte des 2. Jahrtausends v.Chr. eine bronzezeitliche Siedlung. Im 1. und 2. Jahrhundert n. Chr. siedelten hier Germanen. Im Jahr 1932 untersuchte man westlich des Teiches eine jungsteinzeitliche Siedlung. Nach den Formen der Gefäße gehörte die Siedlung zur sogenannten Trichterbecherkultur, deren Angehörige sich in der 2. Hälfte des 4. Jahrtausend v.Chr. hier niederließen. Neben Gruben wurden Feuersteingeräte, Schleifsteine und Mahlsteine entdeckt. Hinweise auf Tierhaltung und Jagd wurden in Form von Pferde-, Rinder-, Schweine- und Hirschknochen gefunden.

Hufeisensiedlung
Unter einem Baudenkmal der Moderne: Artefakte aus vergangenen Jahrtausenden

## 72 Park am Buschkrug
**U 7 Blaschkoallee**
**Bus 141,146, 270 Buschkrug**

Nördlich der Hufeisensiedlung befindet sich der Park am Buschkrug. Schon 1895 wurde hier der so genannte Mammutmensch gefunden. Zu dieser Zeit glaubte man, das gefundene Skelett in die Zeit der Eiszeit datieren zu müssen, da man in der Umgebung viele Knochenreste aus jener Zeit entdeckt hatte. Erst im Jahr 1951, als weitere Skelette entdeckt wurden, konnte auch das alte Grab datiert werden. Während das Grab von 1895 nur die Spur einer Münze aufwies, besaßen die beiden neuen Gräber eine reiche Ausstattung, die diese Bestattungen in das 6. Jahrhundert datierten. Im Gegensatz zu den vorhergehenden Kulturen wurden die Menschen dieser Zeit nicht mehr verbrannt. Ein junges Mädchen hatte als Wegegeld in das Reich der Toten einen goldenen Brakteaten im Mund. Neben persönlichem Besitz – einem Knochenkamm, einer Schere, einem Messer, zwei bronzenen Schnallen und einem Schlüssel – enthielt das Grab auch noch eine grünliche Glasschale. Im zweiten Grab war ein etwa 30-jähriger Mann begraben. Bei ihm fanden sich ein Messer, eine eiserne Gewandspange und ein

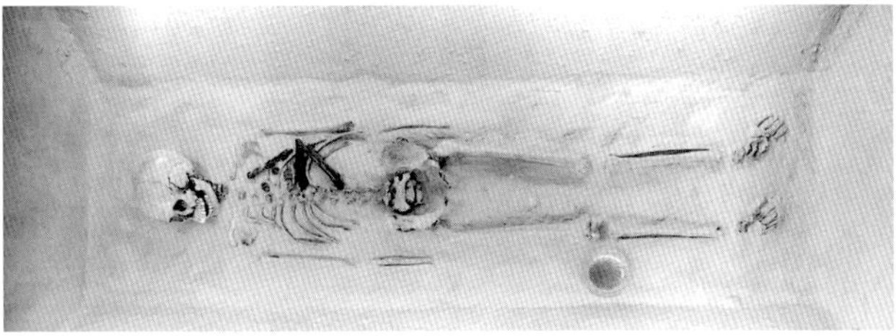

Park am Buschkrug
Eine junge Germanin, im Tod reich ausgestattet

Gefäß, in dem die Rückstände von Bier analysiert werden konnten. Zusammen mit den Gräbern von der südlich gelegenen Parchimer Allee und dem Reitergrab aus dem Körnerpark weisen diese Befunde auf die germanische Gruppe hin, die nach der Abwanderung des größten Teils der hiesigen Bevölkerung in ihrem angestammten Siedlungsgebiet verblieb.

Ebenfalls im Park am Buschkrug entdeckten die Archäologen bei der Anlage des ostwestlichen Parkweges ein früheisenzeitliches Urnengräberfeld. Von den 17 gefundenen Urnen konnte der Inhalt von 11 bestimmt werden. Es handelte sich um 7 Frauen, 2 Männer und drei Kinder. Abgesehen von einer Mutter, die mit ihrem Kind beigesetzt wurde, enthielten die anderen Urnen jeweils einen Toten. Die weiblichen Toten waren mit reichem Schmuck verbrannt worden, zum Beispiel eisernen Ziernadeln, Gewandspangen, Gürtelhaken, bronzenen Ohrringen und Zierplättchen. Für heutige Verhältnisse waren die Menschen recht früh gestorben, zwischen 20 und 35 Jahren. Es war aber in der Ur- und Frühgeschichte ein übliches Sterbealter. Der Friedhof gehörte zur sogenannten Jastorfkultur, der ersten germanischen Kultur im Berliner Raum.

## 73 Rudow

**U 7 Rudow**
**Bus 141, 171, 172, 260, 360, 371, 735 U Rudow**

Im Süden der Stadt befindet sich der Neuköllner Ortsteil Rudow, der auf das gleichnamige mittelalterliche Dorf Rudow (1373) zurückgeht. Untersuchungen in der Dorfkirche, die um 1910 völlig umgebaut worden war, ergaben, dass der Kern des Gebäudes aus dem 13. Jahrhundert stammt. An einigen Stellen des Dorfkernes wurde Keramik gefunden, die eine Gründung des Dorfes um oder kurz vor 1200 als möglich erscheinen lässt. Am Rudower Fließ, südwestlich des alten Dorfkernes, fanden sich entlang des Fließes zahlreiche Fehlbrände. Sie weisen darauf hin, dass hier im Uferbereich im 13. Jahrhundert Töpferöfen standen.

## 74 Fließ

**Bus 271,735 Ascherslebener Weg**

Hier am Fließ, in Höhe der Straße 199, wurde im Jahr 1944 beim Ausheben einer Grube und einer nachfolgenden Untersuchung durch das Märkische Museum ein Grab der neolithischen Kugelamphorenkultur entdeckt. Beim Skelett lagen fünf Gefäße sowie zwei Feuersteinbeile und ein Felsgesteinbeil.

FLIESS
Auch Gebrauchsgegenstände wurden den Toten mitgegeben

## 75 Östlich des Dorfkernes Rudow
**Bus 141, 171, 260, Krokusstraße**

Östlich des Dorfkernes Rudow, zwischen der Stubenrauch-, Kanal- und Köpenickerstraße befindet sich eine große Anzahl von Fundstellen. Die zu verschiedenen Zeiten bei Notbergungen, Baubegleitungen und Ausgrabungen geborgenen Funde ergaben das Bild eines ausgedehnten Gräberfeldes, das der vorrömischen Eisenzeit angehört und bis um die Zeitenwende benutzt wurde. Einige Gräber die in der Umgebung der Konradenstraße entdeckt wurden, enthielten reiche Schmuck- und Waffenbeigaben. 1966 stießen die Archäologen bei einer Ausgrabung auf eine große, in sich zusammengefallene Grabkammer aus Feldsteinen. Im Inneren fanden sich die Spuren eines 6-8 jährigen Kindes, sowie eine Reihe von Beigaben wie Gefäße und Gewandspangen. An der Wegerichstraße wurden 48 Urnengräber der jüngeren Bronzezeit geborgen. Teilweise waren die Grabgruben mit Steinen ausgekleidet und die Urnen mit Beigaben versehen. Auch eine Siedlung der römischen Kaiserzeit wurde lokalisiert.

RUDOW/MARGUERITENRING
Das Schwert (rechts unten) kam verbogen in die Urne

## 76 Tempelhof

**U 6 Alt-Tempelhof**
**Bus 184 Rathaus Tempelhof**
**Bus 140, 146, 170 U Alt-Tempelhof**

Im Zuge der Besiedlung des Teltow wurden die Dörfer Tempelhof (1290), Marienfelde (1344) und Mariendorf (1337) vom Ritterorden der Templer gegründet. Die drei Dörfer wurden von Nord nach Süd in einer Linie angelegt. Vermutungen sprechen dafür, dass die askanischen Markgrafen hier den Templern die Sicherung ihrer damaligen Grenze überließen. Nach dem Verbot des Ordens 1312 durch Papst Johannes gelangten die Dörfer in den Besitz der Johanniter. Nach den Zerstörungen im Zweiten Weltkrieg wurde die Tempelhofer Dorfkirche, die südlich Alt-Tempelhofs im Lehnepark liegt, untersucht. Dabei gelang es, unter dem aus der Mitte des 13. Jahrhunderts stammenden Baus einen Vorgängerbau nachzuweisen, den der Ausgräber in die Zeit um 1200 verwies. Zu dieser ersten Kirche gehörte das Grab eines älteren Mannes, der auf dem Bauch lag und unter dessen Kopf sich ein Mantel

TEMPELHOF
Das Fundament eines Wohnturms, durch genaue Zeichnungen dokumentiert

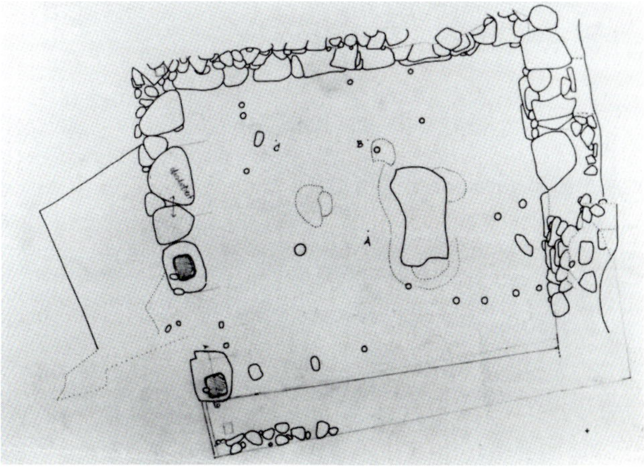

befand. Wie im Dorfkern Britz liegt die Tempelhofer Kirche ebenfalls außerhalb der Dorfzeile an einem See. Obwohl bis heute durch eine archäologische Ausgrabung nicht nachgewiesen, geht man davon aus, dass sie nicht ursprünglich zum Dorf gehörte, sondern zu dem hier befindlichen Komturhof. Im Jahre 1247 wird ein Herrmanus de Templo erwähnt, anscheinend ein Komtur aus Tempelhof. Eine weitere Ausgrabung in Alt-Tempelhof 1-3 erbrachte die Reste eines Wohnturms. Der 5 x 5 m große Turm hatte zwei Stockwerke und besaß im Inneren einen Kamin, sowie einen Kachelofen. Dieser Turm wurde in das 14. Jahrhundert datiert.

## 77 Mariendorf

**U 6 Alt Mariendorf**
**Bus X 76, 111,176, 177, 179, 181, 277 U Alt-Mariendorf**

Ein ähnliches Ergebnis wie Alt-Tempelhof erzielten die Archäologen auch bei einer Notbergung in Alt-Mariendorf. Auf dem Grundstück Nr. 17 der Straße Alt-Mariendorf entdeckten sie 1972 die Reste eines weiteren Wohnturmes. Der archäologische Fundstoff aus dieser Grabung und einer weiteren aus dem Jahr 1950 weisen in das 13. Jahrhundert.

## 78 Marienfelde

**S 2 Buckower Chaussee**
**Bus X 83, 172, 183, 376, 710, 711 Nahmitzer Damm/Motzener Straße**

Im dritten Templerdorf Marienfelde wurden archäologische Funde nur um die Kirche herum zusammengetragen. Diese Kirche ist die älteste Dorfkirche Berlins und eine der ältesten des Brandenburger Umlandes. Bis auf einige Kleinigkeiten ist sie in ihrer ursprünglichen Form erhalten geblieben. Sie wurde aus sauber behauenen Granitquadern erbaut und weist so in das frühe 13. Jahrhundert.

LICHTENRADE
Einer der prächtigsten Hortfunde aus dem Berliner Boden

## 79 Lichtenrade

**Bus 275 Kirchhainer Damm/Horstwalder Straße**
**Bus 175 Augsburger Straße**

Im südlichsten Zipfel des Bezirkes Tempelhof, dem Ortsteil Lichtenrade, entdeckte man im Jahr 1953 einen der schönsten Hortfunde Berlins. Er wurde im Garten eines Siedlungshauses in der Pasinger Straße unter einem großen Stein entdeckt und bestand aus zwei schön gearbeiteten bronzenen Zierscheiben sowie einer Armmanschette und verschiedenen Ringen. Die Schmuckstücke lagen auf einem Gefäßboden. Dieser Hortfund gehört in die ältere Bronzezeit, wobei sicher ist, dass die beiden Zierscheiben in unser Gebiet importiert wurden.

## 80 Staaken

**Bus 132, 331 Brunsbüttler Damm/ Nennhauser Damm**

Etwas abseits der Großstadt liegt das ehemalige Dorf Staaken (1295). Bis zum Mauerfall 1989 war die Gemeinde geteilt. Seit der Wiedervereinigung gehört Staaken insgesamt wieder zu Berlin und hier zum Bezirk Spandau. In den neunziger Jahren des vorigen Jahrhunderts wurde in umfangreichen Arbeiten die Dorfkirche saniert. Es zeigte sich, dass die Kirche häufig umgebaut worden ist und im 16. und 18. Jahrhundert Anbauten erhielt. Unter dem Fußboden konnte der Ausgräber Hinweise auf eine slawische und bronzezeitliche Besiedlung feststellen. Aus dem Bereich Staaken stammt auch ein bronzezeitlicher Hortfund. Es handelt sich um drei Bronzetassen, die in die Zeit um 1000 v.Chr. datiert werden. Genaue Fundumstände sind unbekannt. Sie sollen aus großer Tiefe geborgen worden sein und wurden um 1845 gefunden. Sie gelten als Hinweis auf Handelsbeziehungen der hiesigen Stämme mit dem südlichen Europa.

STAAKEN
Schon in der Bronzezeit wurden Waren aus weit entfernten Gegenden importiert

STRALAU
Der freigelegte mittelalterliche Befestigungsgraben

## 81 Stralau
### Bus 104, 142 Tunnelstraße

Etwa auf halben Weg zwischen den ehemaligen Städten Berlin und Köpenick liegt zwischen dem Rummelsburger See und der Spree die Halbinsel Stralau. Im 13. Jahrhundert entstand im Bereich der heutigen Tunnelstraße 35-45 das erste Dorf Stralau (1261). Es wurde später aufgegeben und in den Bereich Alt-Stralau verlegt. Nur die Kirche und der Friedhof erinnern an die Lage des ersten Dorfes. Die vielen Baumaßnahmen der letzten Jahre ermöglichten einige archäologische Untersuchungen. Grabungen an verschiedenen Stellen in Alt-Stralau zeigten, dass die Insel in der Bronze- und vorrömischen Eisenzeit besiedelt war. Auch mittelalterliche Keramik aus der zweiten Hälfte des 13. Jahrhunderts wurde gefunden. Historische Karten zeigen auf der Landspitze der Insel eine Befestigung. Bei der Ausgrabung in der Tunnelstraße 30-35 fanden die Archäologen Wall und Graben dieser mittelalterlichen Befestigung. Archäologische Untersuchungen auf dem Gelände der Tunnelstraße 26-29 brachten eine mittelslawische Siedlung zu Tage. Auch mesolithische Funde wurden gemacht.

# SCHAUEN, STAUNEN, BEGREIFEN – EIN BESUCH IM MUSEUM FÜR VOR- UND FRÜHGESCHICHTE

Die auf den vorherigen Seiten gegebene Gesamtdarstellung der Vor- und Frühgeschichte Berlins und der noch erhaltenen oder wenigstens erfassten Bodendenkmäler wird für den interessierten Leser unmittelbar erfahrbar durch Aufsuchen der Fundorte sowie durch einen ergänzenden Museumsbesuch. Die in Berlin von Archäologen und Denkmalpflegern ausgegrabenen Funde gelangen in das Museum für Vor- und Frühgeschichte und werden dort gesäubert, restauriert und inventarisiert bevor sie in den Heimat- bzw. Bezirksmuseen, im Märkischen Museum oder auch in der ständigen Ausstellung, eingebunden in das überregionale Ausstellungskonzept dieses Museums, der Öffentlichkeit vorgestellt werden.

Wollte man an einem Wochentag das Museums für Vor- und Frühgeschichte besuchen, war man mitunter gezwungen, sich durch eine Schar von Kindern bis zum Haupteingang durchzukämpfen, bevor man das Museum betreten konnte, und auch im Foyer des Museums war es oft nicht anders. Jeden Vormittag wiederholte sich hier das gleiche Schauspiel: Kinder im Alter von 8 bis 12 Jahren drängten sich in Begleitung ihres Lehrers vor dem Museum oder im Foyer, holten Schreibmaterialien und Arbeitshefte aus ihren Taschen, verteilten Blätter mit dem Aufdruck „Arbeitsblatt für den Schüler", sortierten, verglichen, diskutierten, bevor sie schließlich mit ihrem Lehrer im 2. Stock des Museums den Filmsaal oder den Aktionsraum aufsuchten oder die Ausstellungsräume des Museums betraten. Und auch hier machte man eine Beobachtung, die für ein Museum nicht gerade typisch war: Die Kinder standen, saßen oder lagen, meist einzeln oder in Gruppen vor den Vitrinen und Ausstellungsobjekten, hielten Arbeitsunterlagen und Schreibmaterial in der Hand, beobachteten, verglichen, lasen oft laut die Erklärungen zu den ausgestellten Gegenständen, machten sich Notizen oder fertigten Skizzen an.

Ähnlich wird es, wenn der 2001 begonnene Umbau des Museum für Vor- und Frühgeschichte im Jahr 2004 abgeschlossen ist, wieder sein. Dann wird die Schar der Kinder das Museum jedoch durch einen anderen Eingang betreten, es werden neue Arbeitsräume vorhanden sein und es wird erstmals eine speziell für Schulklassen konzipierte Ausstellung gezeigt

Die Schließung des Aktionsraumes im Jahr 1992 wurde durch die Zusammenführung der Bestände des Ostberliner Museums für Ur- und Frühgeschichte mit denen des Museum für Vor- und Frühgeschichte in Berlin Charlottenburg und die damit verbundene Einrichtung eines weiteren Depotraumes notwendig. Dies führte, wie Westberliner Geschichtslehrer nur zu gut wissen, zu einschneidenden Änderungen im pädagogischen Angebot. Ab Mai 2003 gibt es endlich wieder ein breiteres Angebot für Schulklassen geben können. Ausschlaggebend dafür ist eine grundlegend neue Konzeption, die alle Bereiche des Museums betrifft. Sie beinhaltet einen nach dem bekannten Arzt, Anthropologen und Vorgeschichtsforscher Rudolf Virchow benannten Saal, der den Besucher-Diensten für ihre Arbeit mit Kindern zur Verfügung steht. Eigene Räume, ein separater Eingang, eine Schülergarderobe sowie ein Aktionsraum und ein Vortrags- bzw. Filmsaal, die für Seminare und Abendvorträge genutzt werden können, zwei PC-Stationen und ein für Schüler konzipierter Ausstellungsbereich machen es möglich, ein breiteres Angebot verschiedenster Programme für unterrichtliche Zwecke in und außerhalb des Museum zu erarbeiten.

## Die neue ständige Ausstellung

Das Museum, eine der größten überregionalen Sammlungen zur Vor- und Frühgeschichte Europas, bietet in seinen fünf Ausstellungsräumen Ausschnitte aus der Kulturgeschichte der Menschheit von der Altsteinzeit bis zum Mittelalter.

Im Erdgeschoß befinden sich der Virchow-Saal (Raum I) und der Schliemann-Saal (Raum II). Beide Räume fallen, was die inhaltliche Darstellung betrifft, aus der bisher im Museum für Vor- und Frühgeschichte dargebotenen Anordnung der Entwicklung der Menschheitsgeschichte – jeder große Zeitabschnitt war räumlich vom nächstfolgenden getrennt – heraus. Im Ausstellungsbereich des Virchow-Saales, der neben Schülern auch

Museum für Vor- und Frühgeschichte
Archäologische Kostbarkeiten im Langhansbau des Schlosses Charlottenburg

allen anderen Besuchern zugänglich sein wird, stehen neben einer knappen, hypothetischen Darstellung der Entwicklung zum Menschen, die vor- und frühgeschichtlichen Techniken der Geräteherstellung im Mittelpunkt der Präsentation.

Im neuen Schliemann-Saal ist zum einen die „Sammlung trojanischer Altertümer" ausgestellt, die Heinrich Schliemann 1881 dem deutschen Volk schenkte. Zum anderen werden Exponate der umfangreichen Zypernsammlung des Gelehrten Max Ohnefalsch-Richter und Kunstwerke aus der Kaukasussammlung sowie aus den bergigen Randzonen Mesopotamiens, den asiatischen Steppenkulturen und eine kleine Sammlung chinesischer Bronzen gezeigt.

Im 1. Stock des Museums beginnt im „Schuchhardt-Saal" (Raum III) in chronologischer Abfolge der Rundgang durch die Kulturen Alteuropas.

Auf das Paläolithikum, der Menschheitsentwicklung während der letzten Eiszeit, folgen das Mesolithikum, die bäuerlichen Kulturen der Jungsteinzeit sowie die der Bronzezeit. Ein eigener Raum (IV) ist den Preziosen, vor allem den Goldfunden der Bronzezeit gewidmet. Der letzte Saal, der Raum V, schließlich hat die vorrömische Eisenzeit, das römische Reich und das frühe Mittelalter zum Thema.

In den Ausstellungsräumen begegnet der Schüler den materiellen Hinterlassenschaften der Menschen jener frühen Epochen. Diese sind zumeist in Vitrinen, die fortlaufende Nummern tragen, ausgestellt. Zum besseren Verständnis für ihre kulturhistorische Bedeutung geben Dioramen wie im Raum I, Informationstafeln und Vitrinentexte mit Karten und Abbildungen begleitende bzw. ergänzende Erklärungen. Den Aufbau der Ausstellungen bestimmten Überlegungen, die auf Gegenständlichkeit und Anschaulichkeit hinzielen. Bewusst wurde jedoch auf Inszenierungen im Sinne einer „Erlebnisausstellung" verzichtet, denn Geschichte soll in erster Linie über das Original erfahren werden. Der Wechsel zwischen Original und ergänzenden Informationsmedien lenkt den Erkenntnisprozess des Schülers in gezielter Weise und bietet zusätzlich die Möglichkeit zu selbständigem Arbeiten.

### Arbeitsmöglichkeiten im Museum

Schülergruppen, besonders den 4. bis 6. Klassen, werden für den Besuch des Museums weiterhin Informationsmaterialien in ausreichender Anzahl kostenlos zur Verfügung stehen. Sie lassen sich als Arbeitsmittel sowohl im Unterricht in der Schule als auch im Museum einsetzen und ermöglichen Schülern und Lehrern ein zielgerichtetes, konzentriertes und selbständiges Arbeiten. In Ergänzung dazu hält das Museum für Gruppen, die das Museum besichtigen wollen, schriftlich zu bearbeitende „Arbeitsblätter" bereit. Alle Materialien sind nach Epochen gegliedert und im Satz erhältlich. Die Arbeitsblätter beinhalten Beobachtungsaufträge, Fragen und Denkanstöße oder Aufgaben, die zeichnerisch gelöst werden sollen. Inhaltlich ergänzen die Arbeitsblätter die Informationsmaterialien und erweitern somit die Kenntnis und das Wissen des Schülers über vor- und frühgeschichtliche Funde und deren funktionale, wirtschaftliche und soziokulturelle Bedeutung in der Vergangenheit.

Nach wie vor werden Führungen durch die Schausammlungen des Museums oder zu bestimmten Themen, wie z.B. „Den Rentieren hinterher", „Wolle und Faden" oder „Adel und Bauern im Mittelalter" für Schulklassen angeboten.

Im Erdgeschoß des Museums, im sog. Virchow-Saal, sind es der Aktionsraum und der Ausstellungsbereich, die in besonderer Weise die didaktischen Probleme für die Vermittlung vor- und frühgeschichtlicher Sachverhalte berücksichtigen. Unter dem Titel „Museum des Begreifens" löst sich das Museum hier von der traditionellen Form der Wissensvermittlung. An bestimmten ausgesuchten Beispielen wird gezeigt, wie der Mensch im Laufe der Zeit lernte, seine Umwelt immer besser zu beherrschen. Als oberstes Prinzip gilt, die Schüler nicht nur rein visuell sondern durch eigenes Hantieren und Ausprobieren mit vorgeschichtlichen Gegenständen und Techniken zu einem besseren Verständnis zu führen.

Eine Ergänzung dazu bildet der Filmsaal mit ausgesuchtem Filmmaterial zur Ur- und Frühgeschichte. Die Auswahl erfolgt unter methodisch-didaktischen Gesichtspunkten. Der Einsatz der Filme dient jedoch ausschließlich der Vertiefung der in den Ausstellungen erarbeiteten Sachgebiete. Die Ausleihe der Filme ist leider nicht möglich.

## Der Museumsbesuch

### 1. Vorbereitung eines Museumsbesuches

Der Museumsbesuch soll möglichst als eine normale unterrichtliche Veranstaltung in anderer Umgebung gewertet werden. Daraus ergibt sich die Notwendigkeit, dass die Schüler in entsprechender Weise darauf vorbereitet werden. Die Vorbereitung sollte damit beginnen, dass sich der Lehrer im Museum über den Inhalt und den Aufbau der Ausstellung informiert. Dabei sollte eine erste Auswahl der zu beachtenden Ausstellungsabschnitte und Exponate getroffen sowie die Thematik des Besuches entsprechend seiner didaktischen Funktion festgelegt werden.

Sofern es der Lehrer wünscht, stehen ihm für ein fachliches Gespräch die Mitarbeiter der Besucher-Dienste zur Verfügung. In dieser Abteilung liegen auch die o.g. Informations- und Arbeitsmaterialien zur Vorbereitung und Durchführung des Museumsbesuches bereit. In der Schule informiert der Lehrer dann seine Schüler über den geplanten Museumsbesuch, dessen Themenstellung und dessen Verlauf. Er sollte den Schülern auch Hinweise für die Arbeitsmethoden und Verhaltensweisen während des Museumsbesuches geben.

### 2. Durchführung des Museumsbesuches

Wenn nicht anders vom Lehrer gewünscht, beginnt der Museumsbesuch mit der Vorführung eines am Thema des Besuches orientierten Films. Ein klärendes Gespräch über den Film und allgemeine Schülerfragen im Anschluss daran sind sinnvoll, aber wegen des engen Zeitlimits der Schüler meist nicht durchzuführen. Danach folgt der Besuch des ausgewählten Ausstellungsbereiches. Bevor die Schüler die vorher verteilten Arbeitsblätter bearbeiten, sollte ihnen die Möglichkeit zu einem allgemeinen Orientierungsrundgang gegeben werden. Er gibt dem Schüler das Gefühl, sich frei im Museum bewegen zu können und bietet ihm zugleich die Möglichkeit, seine Erwartungen und seine Neugierde zu befriedigen. Gleichzeitig macht er sich auf diese Weise mit den Arbeitsbedingungen in der Ausstellung vertraut. Die Bearbeitung der Arbeitsblätter erfolgt in Einzel- oder Gruppenarbeit, sollte aber nicht länger als eine dreiviertel Stunde in Anspruch nehmen.

### 3. Nachbereitung des Museumsbesuches

Eine Auswertung der Arbeitsergebnisse unmittelbar nach Abschluss des Museumsbesuches ist zu empfehlen, aber im Museum selbst aus räumlichen und zeitlichen Gründen nicht durchführbar. Sie muß also in der Schule erfolgen.

### Anmeldepflicht

Jeden Dienstag bis Freitag können in der Zeit von 9 bis 13 Uhr durchschnittlich nur 5 Klassen in das Museum eingelassen werden. Da wegen der begrenzten Räumlichkeiten des Museums die Anzahl an Besuchergruppen bei gleichzeitiger Besuchszeit eingeschränkt werden muss, besteht für jeden Lehrer eine Anmeldepflicht. Die Anmeldung erfolgt entweder schriftlich (brieflich, fax oder e-mail) oder mündlich (persönlich oder telefonisch). Der Museumsbesuch sollte ca. 8 Wochen vor Antritt des Besuches bei den Besucher-Diensten angemeldet werden und muss von einer der dort tätigen Mitarbeiterinnen mündlich oder schriftlich bestätigt werden.

Geraldine Saherwala
Staatliche Museen zu Berlin Besucher-Dienste

# MUSEEN UND SAMMLUNGEN ZUR UR- UND FRÜHGESCHICHTE BERLINS

Museum für Vor- und Frühgeschichte
Schloss Charlottenburg, Langhansbau
Spandauer Damm, 14059 Berlin,
Tel. 030/32 67 48 11
Öffnungszeiten Di-Fr 9-17, Sa/So 10-17

Besucher-Dienste:
Anmeldung, Beratung, Auskünfte
Tel.: 326748-41, Fax: 326748-12
e-mail: mvf-bd@smb.spk-berlin.de
Mo 8-12, Di 8-14, Mi/Do 8-15, Fr 8-12.45

Fahrverbindungen:
U-Bahn: Sophie-Charlotte-Platz, Richard-Wagner-Platz, S-Bahn: Westend
Bus: 210, 145 Station Klausener Platz

Eintritt: für Berliner und Brandenburger Schulklassen frei
Gebühren für Informationsmaterialien: keine, Pädagogische Betreuung: frei
Führungen: für Klasse 1-10 kostenlos, 35 Euro für die Klassen 11-13, 40 Euro fremdsprachige Klassenführungen, für Erwachsenen-Gruppen 60 Euro, fremdsprachige Führungen 65 Euro. Nicht abgesagte angemeldete Führungen werden in Rechnung gestellt. Fotoerlaubnis: ohne Stativ und ohne Blitz

Märkisches Museum
Am Köllnischen Park 5, 10179 Berlin
Fon 030/30 86 60
Öffnungszeiten Di-So 10-18
Heimatmuseum Köpenick
Am Alten Markt 1, 12555 Berlin
Fon 030/61 72 33 51
Öffnungszeiten Di/Mi 10-16, Do 10-18, Sa 14-18
Kreuzberg Museum für Stadtentwicklung und Sozialgeschichte
Adelbertstraße, 10999 Berlin
Fon 030/50 58 52 33
Öffnungszeiten Mi-So 12-18

Museum Mitte von Berlin
Palais am Festungsgraben 1, 10117 Berlin
Fon 030/208 40 00
Öffnungszeiten Mi-Fr 13-17, Sa 13-20, So 11-17
wechselnde Ausstellungen

Panke Museum – Heimatmuseum Berlin
Heynstraße 8, 13187 Berlin
Fon 030/481 40 47
Öffnungszeiten Di/Do 10-18, So 10-17

Heimatmuseum Reinickendorf
Alt-Hermsdorf 35, 13467 Berlin
Fon 030/404 40 62
Öffnungszeiten Mi-So 10-18

Stadtgeschichtliches Museum Spandau
Im Zeughaus der Zitadelle
Am Juliusturm, 13599 Berlin
Fon 030/35 49 44-297
Öffnungszeiten Di-Fr 9-17, Sa/So 10-17

Heimatmuseum Tiergarten
Turmstraße 75, 10551 Berlin
Fon 030/39 05 27 28
Öffnungszeiten Di, Mi, Fr, So 12-17, Do 12-18

Schöneberg Museum
Hauptstraße 40-42, 13158 Berlin
Fon 030/75 60 61 63
Öffnungszeiten Mo-Fr 9-13 für angemeldete Gruppen
Mi/Do 15-18, Sa/So 14-18 für Einzelbesucher

Bezirksmuseum Marzahn-Hellersdorf
Alt-Marzahn 51, 12658 Berlin
Fon 030/54 79 09 21
Öffnungszeiten Di-Do 9-17, Fr 9-14, So 14-18
wechselnde Ausstellungen

Heimatmuseum Zehlendorf
Clayallee 355, 14169 Berlin
Fon 030/802 24 41
Öffnungszeiten Mo/Do 16-19

# LITERATURVERZEICHNIS

BEHM, Günter: Eine spätslawische Siedlung bei Berlin-Kaulsdorf, in: Praehistorische Zeitschrift Bd 32/33 1941/42 S 260-296

BÜRGER, Bauer, Edelmann- Berlin im Mittelalter, Katalog zur Ausstellung, Museum für Vor- und Frühgeschichte, Staatliche Museen Preußischer Kulturbesitz, Berlin 1987

DRESSLER, Torsten: Grabungen auf dem Schlossplatz, Das ehemalige Dominikanerkloster in Alt-Cölln, Berlin-Mitte, in: Ausgrabungen in Berlin und Brandenburg, Theiss Verlag 1998

FÜHRER zu archäologischen Denkmälern in Deutschland, Bd 23 Berlin und Umgebung, Stuttgart 1991

HAUPTMANN, Thomas und SCHÖNEBURG, Peter: Neues aus der Vorgeschichte Berlins, Ein eisenzeitliches Gräberfeld in Berlin-Steglitz, in: Archäologie in Berlin und Brandenburg, Theiss Verlag, Berlin 1998

HEIMATCHRONIK Berlin-Archiv für Deutsche Heimatpflege, Köln 1962

HENNING, Joachim: Germanen-Slawen-Deutsche / Neue Untersuchungen zum frühgeschichtlichen Siedlungswesen östlich der Elbe, Praehistorische Zeitschrift, Bd 66 1991

HOFMANN, Michael: Die frühslawische Siedlung bei Berlin-Hellersdorf, in: Veröffentlichungen des Museums für Ur- und Frühgeschichte Potsdam Bd 22/ 1988 S 121-126

HOFMANN, Michael: Vom Stabbohlenhaus zum Haus der Wirtschaft, Beiträge zur Denkmalpflege in Berlin Heft 14, Verlag Schelzky & Jeep, Berlin 1999

KIEKEBUSCH, Albert: Der Bronzefund vom Dammfeld bei Cöpenick, in: Studien zur vorgeschichtlichen Archäologie S 107-110, Leipzig 1925

KIRSCH, Eberhard: Germanische Kastenbrunnen von Berlin-Kaulsdorf, in: Zeitschrift für Archäologie, Bd20, S 103-117

LANGE, Heinrich: Massengräber und mittelslawische Siedlung, Ausgrabungen auf dem Gelände des ehemaligen Heiliggeist-Hospitals in Berlin-Mitte, in: Ausgrabungen in Berlin und Brandenburg, Theiss Verlag 1997

LEHMANN, Ernst: Plan einer mittelslawischen Siedlung in Berlin-Mahlsdorf, in: Ausgrabungen und Funde, Bd 2, 1957, S 177-183

MACZIJEWSKI, Raimund: Sechs fündige Flächen, Grabungsergebnisse aus der Dorfkirche in Berlin Staaken, in: Ausgrabungen in Berlin und Brandenburg, Theiss Verlag 2001

ENTDECKEN SIE DAS GROSSE

# Archäologie magazin

*fesselnd* | *informativ* | *kompetent*

## Erleben Sie...

■ **faszinierende Entdeckungen, neueste Grabungen, Funde und Forschungen von der Urzeit bis heute:** älteste Menschenfunde, früheste Siedlungen, erste Bauern, Anfänge der Metallverarbeitung, Fürsten der Eisenzeit, Römer und Germanen, Völkerwanderung, mittelalterliches Leben in Stadt und Land...

■ **aktuelle Kurzberichte zu jüngsten Grabungen** und neuen Erkenntnissen aus allen Bundesländern...

■ **die Welt der internationalen Archäologie:** von den Mayabauten Mittelamerikas bis zu den Tempeln und Pyramiden Ägyptens...

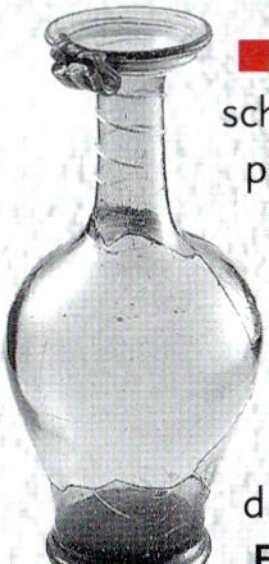

■ archäologische Schwerpunkte, wichtige Entwicklungen bei unseren Nachbarn durch das **»Fenster Europa«**

**AiD jetzt auch im Internet**
**Wählen Sie: www.theiss.de**

■ **bedeutende archäologische Museen und Ausstellungen**, gefährdete und gerettete Denkmäler, lohnende Exkursionen zu Stätten der Vor- und Frühgeschichte...

■ Für »Archäologie in Deutschland« schreiben **kompetente Fachleute**. Sie garantieren fundierte Beiträge, die gleichzeitig für jeden Leser gut verständlich sind.

■ »Archäologie in Deutschland« erscheint **sechsmal jährlich**, zzgl. eines jährlichen Sonderhefts. Jahresabonnement inkl. Sonderband € 59,85 (Schüler & Studenten gegen Nachweis € 50,85) zzgl. Porto (Einzelmagazin € 9,95; Sonderband einzeln € 19,90/26,–)

Konrad Theiss Verlag GmbH, Mönchhaldenstr. 28, 70191 Stuttgart
Telefon: 0711/2 55 27-14, Fax -17, e-mail: opelka@theiss.de

THEISS
www.theiss.de

MACZIJEWSKI, Raimund: Gräber unter Gleisen, Untersuchungen auf dem Garnision- und Gemeindefriedhof in Berlin-Spandau, in: Ausgrabungen in Berlin und Brandenburg, Theiss Verlag 2000

MACZIJEWSKI, Raimund: Auf den Spuren Chiaramellas, Neues zur Zitadelle von Berlin – Spandau, in: Ausgrabungen in Berlin und Brandenburg, Theiss Verlag 1999

MACZIJEWSKI, Raimund: Drei Berliner Dorfkirchen, Untersuchungen an den Kirchen Altglienicke, Kausldorf und Mahlsdorf, in: Ausgrabungen in Berlin und Brandenburg, Theiss Verlag 1997

MACZIJEWSKI, Raimund und THEISSEN, Andrea: Im Schutze des Kronprinzen, Der Hafen der Zitadelle in Berlin-Spandau, in: Ausgrabungen in Berlin und Brandenburg, Theiss Verlag 1997

MACZIJEWSKI, Raimund: Das ehemalige Podewils'sche Palais in Berlin, in: Ausgrabungen in Berlin und Brandenburg, Theiss Verlag 1993

MACZIJEWSKI, Raimund: Die Berliner Stadtmauer, Beobachtungen bei Abrissarbeiten in der Littenstraße, Berlin-Mitte, in: Ausgrabungen in Berlin und Brandenburg, Theiss Verlag 1998

MALLIARIS, Michael: Haus unter Wasser, Eine Rettungsgrabung in Berlin Köpenick, in: Archäologie in Berlin und Brandenburg, Theiss Verlag 1997

MICHAS, Uwe und VIETZE, Peter: Gehöftsiedlung der späten Bronzezeit, Ausgrabungen in Berlin-Pankow, Schönerlinder Straße, in: Archäologie in Berlin und Brandenburg, Theiss Verlag, Berlin 2000

MICHAS, Uwe: Die mittelalterlichen und barocken Befunde auf dem ehemaligen Gutshof Berlin-Rosenthal, in: Miscellanea Archaeologica, Beiträge zur Denkmalpflege in Berlin Sonderband, Berlin 2000

MICHAS, Uwe: Ein Brunnen im Hof, Archäologische Untersuchung auf dem ehemaligen Gutshof Buch Berlin – Pankow, in: Archäologie in Berlin und Brandenburg, Theiss Verlag, Berlin 1996

MICHAS, Uwe: Feuer, Stein und Eisen, Pankower Siedlungsgeschichte von 9000 v.u.Z. bis zum Mittelalter, Berlin 1996

MÜLLER, Adriaan von: Die Archäologie Berlins, Gustav Lübbe Verlag, Bergisch Gladbach, 1986

MÜLLER, Adriaan von: Edelmann, Bürger, Bauer, Bettelmann - Berlin im Mittelalter, Ullstein Sachbuch, Berlin 1981

MÜLLER, Adriaan von: Museumsdorf Düppel, Berlin 1998

MÜLLER, Adriaan von: Berlins Urgeschichte, Bruno Hessling Verlag, Berlin o.J.

MÜLLER, Adriaan von, MÜLLER-MUCI, Klara von: Ausgrabungen auf dem Burgwall in Berlin Spandau, Verlag Volker Spiess, Berlin 1983

NATH, Gunnar: Überraschendes Dendrodatum, Die frühen Befestigungen am Schloss Köpenick, in: Archäologie in Berlin u. Brandenburg, Theiss Verlag, Berlin 2001

NATH , Gunnar: Detektivische Indiziensuche, Slawische Befunde am Schloss von Berlin-Köpenick in Berlin und Brandenburg, Theiss Verlag, Berlin 2000

NATH , Gunnar: Durchgang zum Bodendenkmal, Untersuchungen am Schloss Köpenick in Berlin und Brandenburg, Theiss Verlag, Berlin 1999

NATH , Gunnar: Erwartungen übertroffen, Ausgrabungen in der Altstadt von Berlin Köpenick, in: Archäologie in Berlin und Brandenburg, Theiss Verlag, Berlin 1997

NEKUDA, Vladimir: Das altslawische Dorf in Berlin-Mahlsdorf, in: Ausgrabungen in Berlin, Bd6, S 53-129

NEKUDA, Vladimir: Die slawische Dorfsiedlung in Berlin-Kaulsdorf, in: Ausgrabungen in Berlin, Bd 6, S 131-196

SCHIRMER, Kai und BRÄUNIG, René: Aus der ungeschriebenen Geschichte Berlins, Siedlungen der Bronze-, Eisen- und Kaiserzeit in Berlin-Marzahn, in: Archäologie in Berlin und Brandenburg, Theiss Verlag, Berlin 2000

SCHULZ, Rüdiger/ECKERL, Michael: Funde und Fundstellen in Berlin, Dietrich Reimer Verlag , Berlin 1987

SEYER, Heinz: Berlin im Mittelalter, Deutscher Verlag der Wissenschaften, Berlin 1987

SEYER, Heinz: Ausgrabungen in der Cöllner Petrikirche, Zeitschrift für Archäologie 3, Berlin 1969

SEYER, Heinz: Die mittelalterliche Wüstung Berlin-Hellersdorf, in: Veröffentlichungen des Brandenburgischen Landesmuseums für Ur- und Frühgeschichte Bd 28/ 94, Seiten 231-256

SEYER, Heinz: Zur Besiedlung Berlins in den Jahrhunderten vor Beginn u.Z., in: Zeitschrift für Archäologie, Bd 17, S 39-46, Berlin 1983

SEYER, Heinz: Zur Besiedlung Berlins in der Kaiser- und Völkerwanderungszeit, in: Zeitschrift für Archäologie, Bd 17, S 195-203, Berlin 1983

SEYER, Heinz und Rosemarie: Berlin 9 (Hellersdorf) – eine neue spätgermanische Siedlung, in: Zeitschrift für Archäologie, Bd 20, 1986

SEYER, Heinz: Siedlung und archäologische Kultur der Germanen im Havel-Spree-Gebiet in den Jahrhunderten vor Beginn u. Z., Schriften zur Ur- und Frühgechichte, Bd 34,Berlin 1982

VOGT, Uwe: Der Münzkanal, Ausgrabungen auf dem Werdischen Markt in Berlin-Mitte, in: Archäologie in Berlin und Brandenburg, Theiss Verlag, Berlin 1999

WAGNER, Karin: Einblicke ins Altsiedelland entlang der Bäke, Ein spätbronzezeitlicher Siedlungsplatz in Lichterfelde-West, Berlin-Steglitz, in: Archäologie in Berlin und Brandenburg, Theiss Verlag, Berlin 1998

# GLOSSAR

Artefakt – (lat. „Kunsterzeugnis") durch menschliche Tätigkeit erzeugte Gegenstände

Ahrensburg – Stadt in Schleswig- Holstein, Fundort mehrerer paläolithischer und mesolithischer Siedlungsplätze

Aunjetitzer Kultur – frühbronzezeitliche Kultur (1. Hälfte des 2. Jt. v. Chr.), benannt nach dem Gräberfeld Unetice (früher Aunjetitz) bei Prag

Bandkeramik – älteste Ackerbaukultur Mitteleuropas (5. Jt. v. Chr.), benannt nach der typischen Keramik, die mit aus Stichreihen bestehenden Bändern verziert wurde

Bastion – eine aus dem Wall herausragende Verteidigungsanlage

Befund – Zusammenhang, in dem archäologische Objekte mit ihrer Umgebung aufgefunden werden

Berme – horizontaler Absatz vor dem Wall, dient zur Stabilisierung

Bronze – Metall aus Kupfer und Zinn, gelegentlich auch mit Blei oder anderen Beimischungen

Datierung – Altersbestimmung

Dendrochronologie – Altersbestimmung von Hölzern durch Untersuchung der Jahresringe

Dolmen – (keltisch „Steintisch"), kleinstes Großsteingrab

Fibel – (lat. „Fibula": Nadel oder Spange) seit der Bronzezeit bis in das Mittelalter getragene Gewandspange, die wie eine Sicherheitsnadel funktioniert; da sie ständigen modischen Veränderungen unterlagen, eignen sich Fibeln sehr gut für Datierungen

Griffzungenschwert – Bronzeschwert, dessen Griffangel in Zungenform gestaltet ist

Grubenhäuser – kleinere Häuser, die in den Boden eingetieft sind

Hockergrab – Bestattungsform, bei der die Verstorbenen auf der Seite liegend mit angezogenen Beinen beigesetzt wurden

Hortfund – auch Depotfund; Depot mit archäologischen Material, dass aus verschiedenen Gründen, z.B. Gefahr oder Religion, angelegt wurde, besonders häufig in der Bronzezeit

In Situ – (lat. „in ursprünglicher Lage") archäologische Funde, die sich in ungestörter Lage an ihrem ursprünglichen Bestimmungsort befinden

Jastorfkultur – älteste eisenzeitliche Kultur im Norden Europas (6.- 1.Jh.v. Chr.), namengebend war Urnenfriedhof Jastorf in Niedersachsen

Kurtine – Festungswall, der zwei Bastionen verbindet

Kugelamphorenkultur – neolithische Kultur aus dem 3. Jt. v. Chr., benannt nach der typischen Gefäßform; besondere Rolle scheint die Rinderzucht gespielt zu haben

Lausitzer Kultur – archäologische Kultur der Bronzezeit (14. – 6. Jh. v. Chr), namengebend waren Fundplätze in der Niederlausitz

Mahlstein – Stein, auf dem Getreide gemahlen wurde

Palas – Hauptgebäude einer mittelalterlichen Burg

Rigolen – Lockern des Bodens auf 50 cm bis zu einem Meter für neu anzulegende Gärten

Sondage – schmale Testgrabung oder -bohrung, besonders zur schnellen Voruntersuchung einer Grabungsfläche eingesetzt

Spatha – zweischneidiges germanisches Langschwert

Trichterbecherkultur – neolithische bäuerliche Kultur im Norden Europas, die nach ihrer typischen Keramik benannt wurde (2. Hälfte des 4. bis 1. Hälfte des 3. Jt. v. Chr.)

Walzenbeil – mesolithischer Beiltyp, der in seiner Form an eine Walze erinnert

Webgewichte – Gewichte, meist aus ungebranntem Lehm, die bei einem Senkrechtwebstuhl die Kettfäden straff halten

Wiedergänger – Verstorbene, die aus ihren Gräbern aufsteigen; zum Schutz vor ihnen wurden z.B. Gräber mit schweren Steinen abgedeckt oder der Kopf von Rumpf getrennt

Wüstung – ein von der Bevölkerung verlassener, unbewohnter Ort

# ZEITTAFEL

| Epoche | | |
|---|---|---|
| Neuzeit | 1500 | |
| Spätmittelalter | 1400 | |
| Hohes Mittelalter | 1200 | Deutsche Kolonisation |
| Frühes Mittelalter | | Slawische Einwanderung |
| | 600 | |
| | | Restgermanen |
| Völkerwanderung | 375 | |
| | | Burgunden |
| | | Semnonen |
| Römische Kaiserzeit | Chr. Geburt | |
| Frühe Eisenzeit | | Jastorfkultur |
| Späte Bronzezeit | - 600 | |
| | | Lausitzer Kultur |
| Mittlere Bronzezeit | | Nordischer Kreis |
| | - 1800 | Aunjetitzer Kultur |
| Frühe Bronzezeit | | |
| | - 2000 | |
| | | Kugelamphorenkultur |
| | | Trichterbecherkultur |
| Jüngere Steinzeit | | Bandkeramik |
| | - 5000 | |
| Mittlere Steinzeit | | |
| | | Kulturen der Jäger und Sammler |
| | - 8000 | |
| Ältere Steinzeit | | |
| | - 100000 | |

# AUTOR

Uwe Michas, geb. 1957 in Berlin-Pankow, seit 1980 als Ausgrabungstechniker tätig, ab 1987 in der Berliner Bodendenkmalpflege tätig, verheiratet, zwei Kinder

# FOTO-/ABBILDUNGSNACHWEIS

Landesdenkmalamt Berlin (soweit nicht anders angegeben)

Uwe Michas (Zeichner Bernd Fischer) 65 85 87 91 92 93 97 120 121

Staatliche Museen zu Berlin/Museum für Vor- und Frühgeschichte 17 18 22 28 64 (beide) 71 76 79 80 81 86 89 110 115 116 125 126 127 128 131 132 156

Stiftung Stadtmuseum/Archiv Märkisches Museum 19 35 98 101 104 105 106 107 108

Christoph Buckstegen Titel oben 44

Titel oben: Grabung auf dem Schlossplatz, unten: Bestattungen Heiliggeist-Hospital
Rücktitel (von links nach rechts) oben: Grabung Stralau, Spielstein Spandauer Burgwall; unten: Heimatmuseum Reinickendorf, Berliner Stadtmauer, Maskenfibel Niederschönhausen

# IMPRESSUM

Herausgegeben vom Landesdenkmalamt (LDA) Berlin und L&H Verlag

Unterstützt durch Staatliche Museen zu Berlin, Besucher-Dienste



L&H Verlag GmbH
Barnerstraße 14 b, D-22765 Hamburg
Fon 040/39 834 290
Fax 040/39 834 299
kontakt@LH-Verlag.de
www.LH-Verlag.de



KONZEPT Dr. Karin Wagner und Uwe Michas, beide LDA Berlin; Wolfgang Henkel, L&H Verlag
TEXTE Uwe Michas
KOORDINATION Dr. Karin Wagner, LDA Berlin; Wolfgang Henkel, L&H Verlag
REDAKTION Stefan Seufert, L&H Verlag
FOTOS siehe Seite 151
KARTEN kontur, Berlin
GESTALTUNG Wolfgang Henkel und Stefan Seufert, beide L&H Verlag
SATZ Stefan Seufert, L&H Verlag, Hamburg
PRODUKTION Druckhaus Köthen

**Bibliografische Information der Deutschen Bibliothek**
Die Deutsche Bibliothek verzeichnet diese Publikation in der Deutschen Nationalbibliografie; detaillierte bibliografische Daten sind im Internet über <http://dnb.ddb.de> abrufbar.

ISBN 3-928119-79-6 L&H Verlag

## Berlin

# S- und U-Bahn Liniennetz

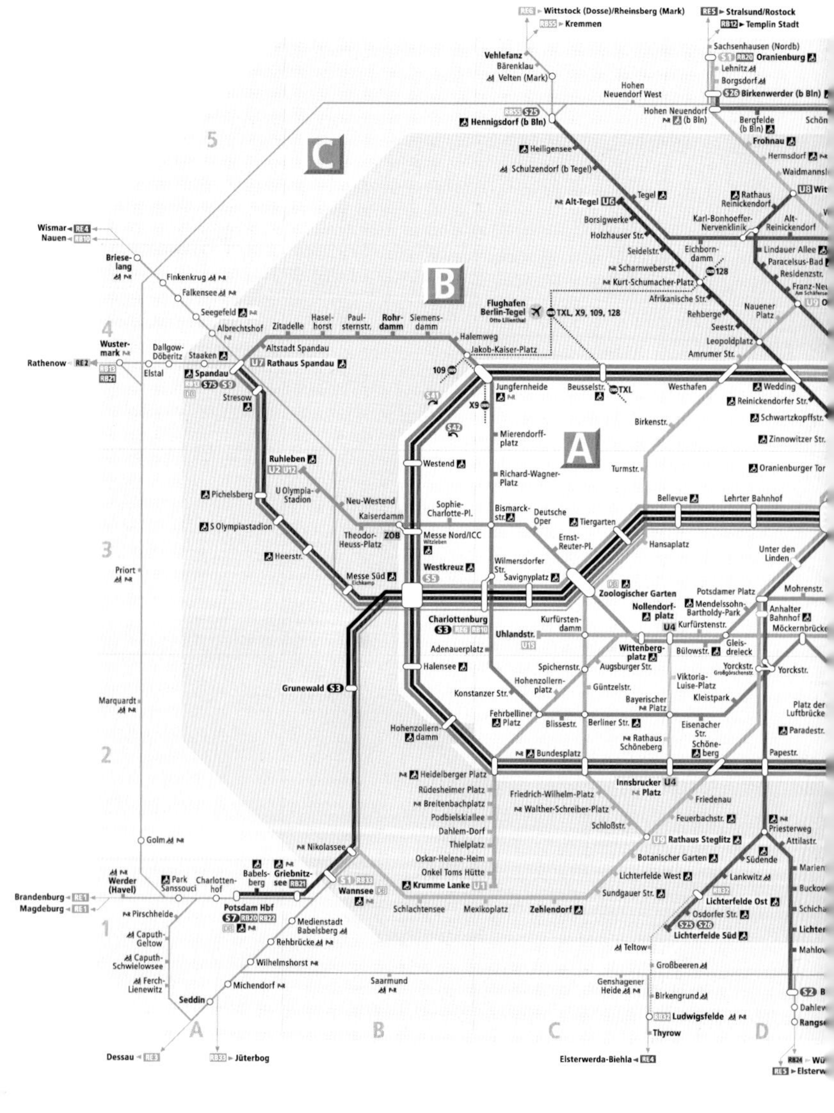


S1 Wannsee ↔ Oranienburg
S2 Blankenfelde ↔ Bernau (b Bln)
S25 Lichterfelde Süd ↔ Hennigsdorf (b Bln)
S26 Lichterfelde Süd ↔ Birkenwerder
S3 Erkner ↔ Charlottenburg (↔ Grunewald)

S41 Ring im Uhrzeigersinn
S42 Ring gegen Uhrzeigersinn
S45 Berlin-Schönefeld Flughafen ↔ Gesundbrunnen
S46 Königs Wusterhausen ↔ Gesundbrunnen
S47 Spindlersfeld ↔ Gesundbrunnen

S5 Strausberg Nord ↔ Westkreuz
S7 Ahrensfelde ↔ Potsdam Hauptbahnhof
S75 Wartenberg ↔ Spandau
S8 (Zeuthen ↔) Grünau ↔ Gesundbrunnen (↔ Nordbahnhof)
S9 Berlin-Schönefeld Flughafen ↔ Spandau

U1 Krumme Lanke ↔ Warschauer Straße
U15 Uhlandstr. ↔ Wittenbergplatz ↔ Warschauer Straße
U12 Ruhleben ↔ Warschauer Straße
U2 Ruhleben ↔ Pankow
U4 Nollendorfplatz ↔ Innsbrucker Platz

## Legende

- S- und U-Bahn-Linie mit Umsteigemöglichkeit
- Linie des Regionalverkehrs
- Schienenersatzverkehr
- Züge in Pfeilrichtung halten nicht am Bhf Ostkreuz
- B Bahn-Regionalverkehr
- DB Fernbahnhof
- Behindertengerechter Zugang
- Behindertenfreundlicher Zugang
- Park-und-Ride-Möglichkeit
- ZOB Zentraler Omnibusbahnhof
- U12 Nur im Nachtverkehr Fr/Sa, Sa/So ca. 1.00-4.00 Uhr und bei Großveranstaltungen

## Information


**Verkehrsverbund Berlin-Brandenburg GmbH**
Hardenbergplatz 2, 10623 Berlin
(030) 25 41 41 41

**Berliner Verkehrsbetriebe (BVG)**
10773 Berlin
(030) 19 44 9

**S-Bahn Berlin GmbH**
Kundenbüro
Invalidenstr. 19, 10115 Berlin
(030) 2974 33 33

**DB Regio AG**
Deutsche Bahn Gruppe
Regionalbereich Berlin/Brandenburg
Im Hauptbahnhof Potsdam
Babelsberger Str. 18, 14473 Potsdam
01805 99 66 33


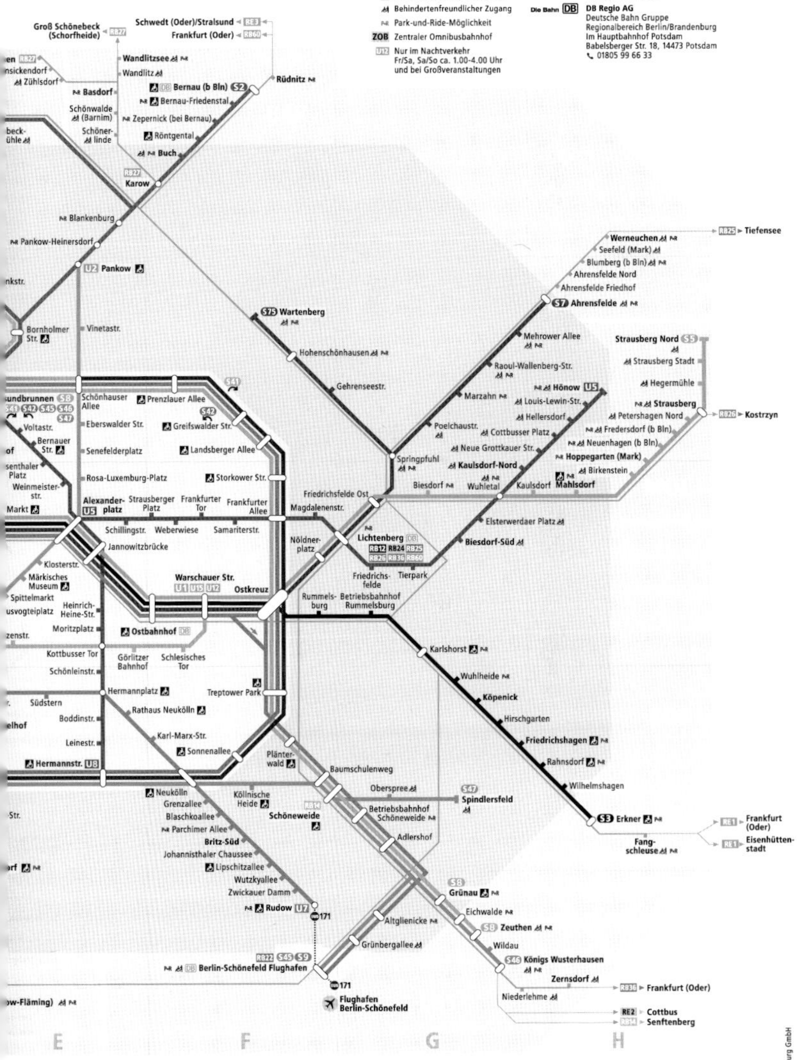


Alexanderplatz ↔ Hönow
Alt-Tegel ↔ Alt-Mariendorf
Rathaus Spandau ↔ Rudow
Wittenau ↔ Hermannstraße
Rathaus Steglitz ↔ Osloer Straße

Nutzen Sie innerhalb Berlins auch die Fahrtmöglichkeiten des Bahn-Regionalverkehrs

ABC Tarifbereich Berlin

Im Berliner C-Bereich gibt es spezielle Angebote, die Sie bei Ihrem Verkehrsunternehmen erfragen können.

Hinweis: Berlin-Schönefeld gehört sowohl zum Teilbereich B des Tarifbereiches Berlin als auch zum Landkreis Dahme-Spreewald.

BVG Berliner Verkehrsbetriebe

S Bahn Berlin

Partner im: VBB


Stand: 13. Oktober 2002
Herausgeber: Verkehrsverbund Berlin-Brandenburg GmbH

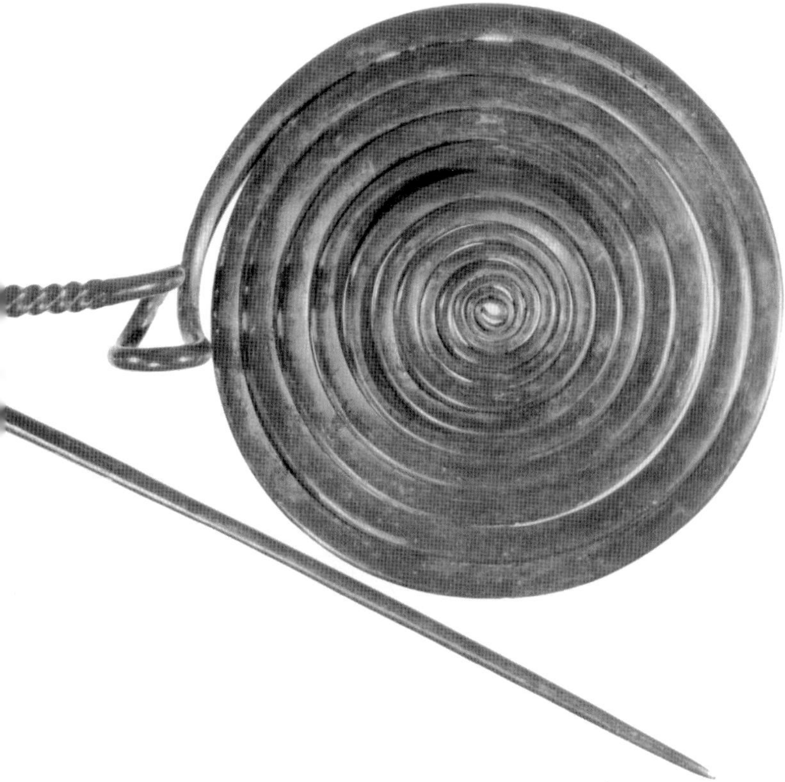

## Gesamtprogramm L&H Verlag ISBN 3 - 928119 -

### Hamburg

| | |
|---|---|
| Hamburg Grün. Die Gärten und Parks der Stadt | 39-7 |
| Hamburg für Leser | 71-0 |
| Hamburg Kompakt/Hamburger Museumsführer | 69-9 |
| Hamburg musikalisch – Spurensuche i. d. Neustadt | 54-0 |
| Linie 36 – Hamburg-Tour in 38 Minuten | 56-7 |
| Stadtführer für Notfälle/ Hamburgs öffentl. Toiletten | 58-3 |
| HafenCity und HafenkanteÖvelgönne bis Meßberg | 63-X |
| Das Rathaus der Freien und Hansestadt Hamburg | 25-7 |
| Es begann 1676 – Hamburg. Geschichte. Katastrophen. Feuersbrünste | 67-2 |
| Beatles, Hagenbeck und Schopenhauer | 68-0 |
| Hamburg, eine fotografische Zeitreise | 73-7 |
| Weihnachten und Advent in Hamburg und Umland | 59-1 |

### Berlin/Potsdam/Brandenburg

| | |
|---|---|
| DenkMal Berlin | 74-5 |
| Berliner Museumsführer Berlin/SMPK | 62-1 |
| Berliner Museen. Deutsch/Englisch | 50-8 |
| Berlin Grün. Die historischen Gärten und Parks | 51-6 |
| Linie 100 + 200 – Berlin-Tour in 33 Minuten | 57-5 |
| Potsdam Kompakt, | 66-4 |
| Potsdam Grün | 64-8 |
| Ein Garten der Erinnerung/Karl Foerster | 65-6 |
| Statuen in Potsdam | 07-9 |
| Ferien vom Ach/Karl Foerster | 72-9 |

### Weitere Bundesländer

| | |
|---|---|
| Schlösser und Gutsanlagen in Schleswig-Holstein | 24-9 |
| Schlösser, Herrenhäuser und Kirchen in Mecklenburg-Vorpommern | 53-2 |
| KulturRouten Niedersachsen | |
| Band 1: Hannover/Braunschweig | 32-X |
| Band 2: Harz, Weser- und Leinebergland | 33-8 |
| Band 3: Osnabrücker Land, Emsland, Mittelweser | 34-6 |
| Band 4: Ostfriesland, Oldenburg | 35-4 |
| Band 5: Elbe-Weserdreieck, Bremen | 36-2 |
| Band 6: Lüneburger Heide, Wendland | 37-0 |
| Rhein-Ruhr Kompakt | 60-5 |
| Das Gartenreich Dessau-Wörlitz | 61-3 |
| Gärten&Parks in Sachsen | 26-5 |
| Weimarer Museumsführer/Kompakt | 48-6 |
| Erlebnis Handwerk | 40-0 |
| Aphorismen für Führungskräfte | 22-2 |

Volkspark
Rehberge
Transvaalstr.
Goethepark
Amrumerstr.
Seestr.
Saatwinkler Damm
Dohnagestell
Seestr.
Virchow-Klinikum
Luxemburger Str.
Eckern-
förder
Platz
Föhrer Str.
Heckerdamm
Friedrich-Olbricht-Damm
100
Putlitzbrücke
Westhafen
Quitzowstr.
Kolonie
Stichkanal /
Wickelshof /
Dahmshof
Beusselstr.
Perleberger Str.
Sickingenstr.
Beusselstr.
Stromstr.
Fritz-
Schloß-
Park
Kranken-
haus
Moabit
Gaußstr.
Kolonie
Gerickeshof
Huttenstr.
Mieren-
dorffpl.
Sömmeringstr.
Turmstr.
Otto-
pl.
Turmstr.
Kaiserin-Augusta-Allee
Kl. Tiergarten
Johannis-
Kirche
Alt-Moabit
Stromstr.
Alt-Moabit
Mierendorffstr.
Levetzowstr.
Helmholtzstr.
Wintersteinstr.
Spree
Dovestr.
Franklinstr.
str.
Lessing-
Bellevue
Paulstr.
Alt-
Lietzow
Luisen-
Kirchhof
Cauerstr.
Altonaer Str.
Spreeweg
Otto-Suhr-Allee
R.-Wagener-Str.
Marchstr.
Tiergarten
Ernst-Reuter-
Platz
Straße des 17. Juni
Großer
Stern
Bismarckstr.
Hofjägerallee
Hardenbergstr.
Landwehrkanal
Kaiser-Friedrich-Str.
Leibnitzstr.
Tiergartenstr.
Zoologischer
Garten
Stülerstr.
Klingelhöferstr.
Kantstr.
Savigny-
platz
Budapester Str.
Savignypl.
Charlottenburg
Kurfürstenstr.
Lützowstr.
Tauenzienstr.
An der Urania
Uhlandstr.
Knese-
beckstr.
Kurfürstendamm
Kurfürstenstr.
Lewishamstr.
Kleiststr.
Olivaer
Platz
Lietzenburger Str.
Joachimstaler Str.
Lietzenburger Str.
Bülowstr.
Kolonie
Emser
Platz IV
Paulsborner Str.
Konstanzer Str.
Spichernstr.
Motzstr.
Martin-
Brandenburgische Str.
Nachodstr.
Hohen-
Staufenstr.
Westfälische Str.
Hohenzollerndamm
Luther-Str.
Heinrich-
von-Kleist-
Park
Uhlandstr.
Bundesallee
Grunewaldstr.
Berliner Str.
Rudolstädter Str.
Berliner Str.
Badensche Str.

Berlin Landesdenkmalamt

# SPURENSUCHE BERLIN

## EIN ARCHÄOLOGISCHER STADTFÜHRER

SHORT GUIDE

L&H VERLAG

# KULTUR IMMER WIEDER NEU ENTDECKEN

ISBN 3-928119-62-1 € 16,–

ISBN 3-928119-78-8 € 7,80

ISBN 3-928119-60-5 € 16,–

ISBN 3-928119-69-9 € 16,–

Hennigsdorf
Oberhavel
Havelkanal
Reinickendorf
Havel
Tegeler See
Falkensee
Berlin Tegel Flughafen
Wedding
Spandau
Charlottenburg
Tiergarten
Mitte
Kreu
Wilmersdorf
Berlin T
Flug
Sacrower See
Havel
Großer Wannsee
Zehlendorf
Steglitz
Potsdam
Teltow
Teltow-Fläming
Potsdam-Mittelmark
Pa
Te
17-20
21
22
25
26
27
28
29
30
31
32
33
34
35
36
37
38
39
40
58
59
60
67
68
69
76
77
78
80
111
100
104
103
115
96
96a
5
2
1
101